CW00926541

Le Livre de Poche
Jeunesse

L'AIGLE DE MEXICO

Odile Weulersse

L'AIGLE DE MEXICO

Illustrations :
Christian Heinrich

À Pascale et Damien

Je remercie Jacqueline de Durand-Forest et le professeur Georges Baudot pour les renseignements qu'ils m'ont aimablement donnés.

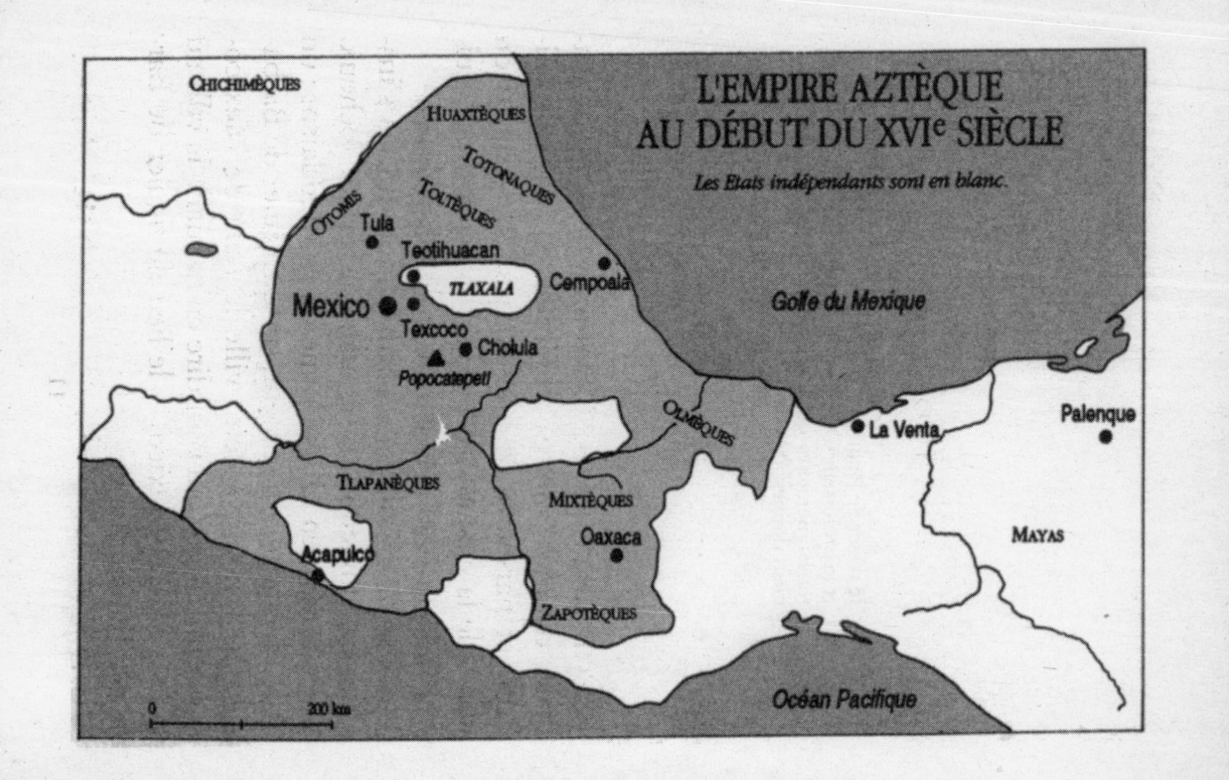
L'EMPIRE AZTÈQUE
AU DÉBUT DU XVIe SIÈCLE
Les Etats indépendants sont en blanc.
CHICHIMÈQUES
HUAXTÈQUES
TOTONAQUES
TOLTÈQUES
OTOMIS
Tula
Teotihuacan
TLAXALA
Cempoala
Mexico
Texcoco
Cholula
Popocatepetl
Golfe du Mexique
OLMÈQUES
La Venta
Palenque
TLAPANÈQUES
MIXTÈQUES
Oaxaca
Acapulco
ZAPOTÈQUES
MAYAS
Océan Pacifique
0
200 km

Prologue

Au XIIIe siècle, les Aztèques arrivent sur des plateaux de 2 000 mètres d'altitude, entourés de volcans, et parsemés de grands lacs. Ils viennent du nord, de la ville mythique d'Aztlan la blanche, guidés par leur dieu le Soleil, et parlent le nahualt.

Chassés des villes en bordure des lacs, ils s'installent au milieu de la lagune, sur un îlot rocheux. Ils y trouvent en 1325 le signe qu'ils attendaient : un aigle, mangeant un serpent, sur un figuier de Barbarie. Ils donnent à cette ville le nom de Mexico-Tenochtitlan, ce qui veut dire en nahualt : la ville au milieu du lac (Mexico) – le lieu du figuier de Barbarie (Tenochtitlan).

Les Mexicains agrandissent leur territoire en construisant des jardins flottants et en faisant venir des roches qu'ils tirent avec des cordes.

Progressivement, par des alliances et des exploits militaires, ils soumettent les villes environnantes, petits États indépendants dirigés chacun par un monarque entouré de dignitaires civils et militaires.

En 1428, les Aztèques fondent, avec les villes de Texcoco et de Tlacopan, la Triple Alliance. Toutefois, la Triple Alliance étant dominée par l'empereur de Mexico, on parle de l'Empire aztèque.

En 1517, sous le règne de l'empereur Moctezuma, l'empire est à son apogée. Les territoires conquis s'étendent des hauts plateaux jusqu'aux deux océans, entourant quelques petits États libres, comme la république de Tlaxala.

Les richesses de toutes les provinces affluent vers la capitale qui compte près de 300 000 habitants.

Tout au long de l'année, les Aztèques font de grandes fêtes pour leurs dieux, afin qu'ils accordent longtemps la puissance et la gloire au peuple du Soleil.

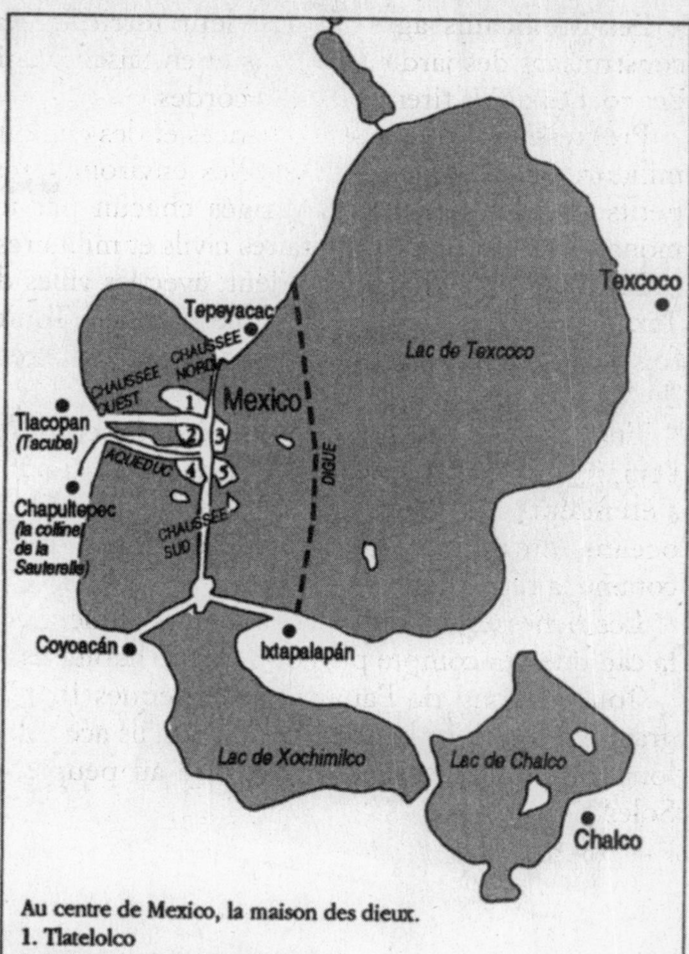

Au centre de Mexico, la maison des dieux.
1. Tlatelolco
2. Le lieu de l'éclosion des fleurs
3. La maison des hérons
4. L'endroit des moustiques
5. Le quartier des dieux

PERSONNAGES

TOTOMITL : *Jeune guerrier de 15 ans.*

XOCHIPIL : *Petite fille de 12 ans, sœur de Totomitl, destinée à être prêtresse du dieu Serpent à plumes.*

LE PÈRE.

LA MÈRE.

LA HUÉHUÉ : *Grand-mère de Totomitl et de Xochipil.*

PANTLI : *Jeune guerrier de 16 ans, ami de Totomitl.*

LE GARDIEN-DE-LA-MAISON-NOIRE : *Père de Pantli.*

UEMAC : *20 ans, plumassier de l'empereur Moctezuma.*

CHIMALI : *16 ans, marchand-espion.*

LE PÈRE DE CHIMALI : *Grand négociant.*

MIAHUALT : *15 ans, courtisane.*

CALMECAHUA : *16 ans, marchand de la république de Tlaxala.*

L'HOMME-HIBOU : *Sorcier.*

L'EMPEREUR MOCTEZUMA.

1

Une bataille de polochons

Vêtu d'un pagne blanc, malgré le froid vif de l'hiver, Totomitl avance pieds nus dans l'obscurité. L'œil et l'oreille aux aguets, il se retourne au moindre bruit, prêt à bondir. Puis il reprend sa marche inquiète à travers la forêt. Soudain, il entrevoit une silhouette qui disparaît derrière un tronc d'arbre, et silencieusement se rapproche du sapin. Dès qu'il se trouve à quelques pas du guerrier, il bondit comme un jaguar sur les épaules nues qu'il serre vigoureusement dans ses bras. Le guerrier parvient à desserrer l'étreinte et jette Totomitl par terre. Les deux garçons luttent longtemps dans les épines de pins et de cèdres. Enfin Totomitl parvient à étendre le guerrier sur le dos, à s'asseoir sur son ventre en lui maintenant les bras au sol. En de violents soubresauts, le vaincu tente vainement de se libérer et d'un signe de tête reconnaît sa défaite.

« J'en ai pris un », songe Totomitl, soulagé.

Tous deux repartent en silence à travers la forêt.

Totomitl a quinze ans, un corps nerveux et souple, des yeux pétillants dans un visage brun allongé. Ses cheveux sont courts avec une longue mèche dans le cou. Tandis qu'il avance prudemment entre les sombres troncs des arbres, il perçoit un bruit mat sur sa gauche. Aussitôt il court dans la direction du son et reçoit un coup violent sur la nuque. Il tombe, tandis que le Frère aîné, le guerrier qui commande l'exercice d'entraînement, s'accroupit pour lui maintenir le visage contre le sol.

« Une fois de plus, Totomitl, tu t'es conduit avec précipitation et légèreté.

— J'ai entendu du bruit, marmonne le jeune guerrier.

— C'était une branche que j'avais jetée pour te tendre un piège et connaître tes réactions. Tu ne fais aucun progrès. Tu as couru sans méfiance ni discernement. Pour te punir, tu seras privé de bain ce soir. Cela te donnera l'occasion de méditer sur ton signe. »

Le Frère aîné se relève :

« C'est la discipline qui fait les bons guerriers. Sinon tu seras paysan, comme ton père. »

Puis il crie :

« L'exercice est terminé. Retour au collège. »

Dans la pénombre surgissent une vingtaine de jeunes gens, tous pieds nus et vêtus d'un pagne blanc. Totomitl cherche en vain son ami Pantli. Les jeunes guerriers, sous la conduite du Frère aîné, partent au petit trot. Lorsqu'ils sont suffisamment éloignés, Totomitl appelle :

« Pantli ! Pantli, où es-tu ? »

À la lisière de la forêt, Totomitl entend enfin :

« Je suis là ! »

Sous la pâle clarté des étoiles, au milieu d'un champ d'agaves, gros cactus aux longues et épaisses feuilles vertes, Pantli est assis face à un homme qui tire frileusement son manteau sur ses épaules.

« Tu joues encore aux haricots ! s'exclame Totomitl. Un jour ce jeu te mettra la tête sens dessus dessous.

— Ne te fâche pas, j'arrive. »

Totomitl soupire et s'assied un peu plus loin. Il songe avec amertume à la ruse du Frère aîné. Bien sûr, il devrait être plus prudent étant donné la date de sa naissance, qui, comme toute date, est un signe du destin. Totomitl est né un jour cinq-crocodile. Et si le crocodile prévoit de la vaillance et du courage, le chiffre cinq est une marque d'instabilité. Le garçon sait bien qu'il est trop impulsif.

De l'autre côté de la lagune, l'horizon s'éclaire au-dessus des volcans enneigés. En clignant longtemps les paupières, Totomitl aperçoit, dans le ciel blanc de l'aube, les guerriers ressuscités[1]. Vêtus de panaches, de plumes multicolores, de boucliers, de manteaux et de pagnes brodés, ils dansent en tapant sur des tambours ou en jouant de la flûte, pour appeler le Soleil. Alors dans la maison rouge de l'aurore apparaît l'Aigle qui monte.

« Le Soleil s'est levé ! annonce Totomitl.

— Je l'entends ! »

En effet les conques mugissent et les tambours résonnent sur les pyramides des temples pour saluer l'apparition du dieu. Totomitl cueille une épine d'agave et se fait une longue écorchure sur la jambe droite. Lorsque le sang coule, il en ramasse quelques gouttes sur son index qu'il lève vers le ciel :

« Que mon sang serve de nourriture à notre mère et notre père, la Terre et le Soleil. »

Puis il jette les gouttes de sang sur le sol.

Au pied de la colline, il aperçoit les guerriers qui se dirigent vers la chaussée qui traverse le lac.

« Pantli, viens, ils sont déjà en bas. Le Frère aîné nous fera respirer du piment grillé...

---

1. Sont ressuscités les guerriers morts au combat ou sacrifiés aux dieux.

— J'arrive.
— Nous frappera avec des orties, nous...
— J'ai gagné », déclare Pantli qui détale à toutes jambes.

Le garçon a seize ans, une large et forte carrure, un visage légèrement arrondi et des yeux doux, comme ceux des petits chiens sans poil.

De la colline des Chichimèques, les deux garçons voient la brume se dissiper sur la lagune de Mexico, la ville au milieu du lac. Du brouillard, émergent, de-ci, de-là, des pyramides surmontées de temples blancs, rouges ou bleus.

Bientôt les jeunes guerriers atteignent la longue et large chaussée de l'Ouest[1] qui permet d'aller à pied de la terre ferme à la ville au milieu du lac. De part et d'autre de la digue, la lagune est déjà couverte de barques peintes : pirogues de paysans chargées de maïs, d'avocats, de patates douces ; pirogues de pêcheurs qui lancent leurs filets ; pirogues de fonctionnaires qui partent dans les provinces.

Sur la chaussée, l'animation n'est pas moins grande : hommes courbés sous le poids de hottes et de sacs dont la courroie de joncs est retenue par le front, femmes aux cabas remplis de cailles, de dindons, de grenouilles. Dans leur précipitation, les deux garçons bousculent les gens sur leur passage.

1. Sa longueur est approximativement de trois kilomètres et demi. La chaussée surplombe de deux mètres l'eau du lac.

« Ils se croient tout permis ces jeunes guerriers, commente une marchande.

— Tu as raison, ma commère ! C'est d'une inconvenance de courir si vite ! » s'indigne une autre.

Un vieillard noble, portant un manteau de coton décoré d'escargots, les apostrophe, furieux :

« C'est honteux de mépriser et d'outrager ainsi les passants ! »

Totomitl lui crie :

« Vénérable vieillard, tu ne me lanceras pas de la boue au visage ! »

Aux abords de Mexico, la foule devient plus dense. Pantli est freiné dans sa course par une jeune fille aux cabas remplis de fleurs et dont les épaules sont recouvertes par une pèlerine multicolore ornée de franges bleues.

« Hé, pousse-toi, tortue ! »

La jeune fille tourne brusquement la tête. Son maquillage est celui des courtisanes : visage peint en jaune, lèvres et dents rouges et ses grands yeux noirs toisent les garçons avec mépris.

« Minables chevelus ! Vous osez me parler sur ce ton, avec ces longues mèches dans le cou !

— Nous en ferons, un jour, des prisonniers ! s'exclame Totomitl, vexé.

— C'est plus facile à dire qu'à faire, répond la courtisane qui reprend sa démarche nonchalante.

— C'est bien répondu, Miahualt », dit une autre jeune fille.

Les deux guerriers dépassent les courtisanes et commentent la rencontre en traversant la ville au petit trot :

« Les paroles de cette fille sont cruelles, dit Totomitl. Elles me déchirent le cœur.

— Ce ne sont pas les paroles d'une Mexicaine ! Elle a la pèlerine des Totonaques[1]. Tu as remarqué avec quelle effronterie elle nous a regardés !

— J'ai surtout remarqué ses yeux, des yeux comme des miroirs...

— Tu deviens poète maintenant ?

— Des miroirs noirs d'obsidienne[2].

— Et alors ?

— Alors... Alors il faut que je la retrouve. Elle est tellement belle ! »

Pantli lui jette un regard surpris et rit.

« Avant de la retrouver, il vaudrait mieux que tu fasses un prisonnier pour qu'on te coupe ta mèche. Sinon tu te feras encore insulter !

— Tu crois qu'elle habite sur la colline des Chichimèques ?

— Peut être. Près de la source de la tortue de

---

1. Les Totonaques habitent à l'est de Mexico, sur la côte du golfe du Mexique.

2. L'obsidienne est une lave volcanique, dure, noire et tellement brillante qu'on en fait des miroirs.

jade, il y a des jardins qui appartiennent au temple de la déesse des courtisanes. »

Arrivés dans le district de la Maison des hérons, les deux amis prennent une démarche lente et mesurée pour rejoindre le collège des guerriers au bord de la lagune. Heureusement, personne ne remarque leur arrivée tardive, car tout le monde s'affaire pour préparer la fête des polochons.

Le lendemain matin, Pantli jette dans une barque des sacs de joncs tressés remplis de feuilles de maïs roulées en boule.

« Qu'est-ce qu'elles vont recevoir, les filles ! » dit-il en riant.

Puis il jette un coup d'œil sur les dizaines de canots chargés de filles ou de garçons joyeux qui se dirigent vers la rue principale qui mène au centre de la ville.

« Je vais passer par les petits canaux, il y aura moins d'embouteillage.

— Du moment que tu retrouves la fille aux yeux d'obsidienne, tu prends le chemin que tu veux.

— Qu'est-ce que tu trouves donc à cette fille insolente ?

— Je suis heureux dès que je la regarde. »

Pantli se moque :

« Tu ne l'as vue qu'une fois ! La deuxième, tu seras peut-être malheureux ! Allez, viens. »

Tous deux sautent dans la barque.

Les rues de Mexico sont droites et perpendiculaires. Chacune est traversée par un canal que bordent deux voies pavées. Des rangées de saules et de peupliers argentés protègent de l'éclat du soleil. Les maisons basses ont des toits inclinés recouverts de branchages et des murs blancs sans fenêtres extérieures.

Totomitl fait tournoyer un polochon qu'il lance sur les filles qui marchent sur la berge. Certaines poussent des cris, moitié de rire, moitié d'effroi, d'autres se cachent, d'autres encore se battent courageusement avec des branches contre les garçons qui les attaquent. Sur les embarcadères de bois, qui, devant chaque maison, permettent d'accéder au canal, les vieux et les vieilles rient du spectacle. Totomitl lance doucement un polochon à une chère vieille en criant :

« Voici un sac, grand-mère ! »

Bientôt la circulation est entravée par une longue embarcation amarrée d'un seul côté, qui bouche la moitié du canal. Un jeune garçon débarque, une à une, des peaux de daim. Les rameurs s'impatientent.

« Laisse passer !

— Range donc ta barque !

— Pousse-toi, s'écrie Pantli, ce n'est pas un marché ici ! »

Mais le vendeur de peaux de daim paraît totalement indifférent au tumulte qu'il provoque.

« Il m'énerve, celui-là, dit Pantli. En plus c'est un Tlaxaltèque[1]. »

En effet les cheveux du garçon sont resserrés sur sa tête en une sorte de chignon retenu par un bandeau tressé.

« Je le connais, remarque Totomitl, il s'appelle Calmecahua. Même si tu n'aimes pas les Tlaxaltèques, ils ont le droit de venir à Mexico, s'amuser ou faire le marché.

— Mais pousse-toi donc ! hurle Pantli.

— Ne t'énerve pas comme cela ! Nous ne sommes pas pressés, suggère son ami.

— Je ne peux pas supporter les gens qui gênent tout le monde sans scrupule. »

Les barques sont maintenant serrées les unes à côté des autres. Pantli les enjambe jusqu'à la berge et apostrophe le vendeur de peaux de daim.

« Tu t'en vas tout de suite, ou je jette tes peaux dans l'eau. »

Calmecahua continue calmement son travail.

« J'ai dit tout de suite », répète Pantli.

Calmecahua a un sourire rusé. Il saisit un petit

1. Tlaxala est une république indépendante, située sur les hauts plateaux, au cœur de l'Empire mexicain.

polochon et le lance à la tête de Pantli. Celui-ci l'évite et le polochon atterrit sur une petite fille qui pousse un cri. Pantli se précipite vers elle.

« Xochipil, qu'est-ce que tu as ? »

La petite fille montre le haut de son front qui saigne abondamment. Autour d'elle ses amies jacassent comme des oiseaux.

« C'est un sac plein de cailloux !

— C'est interdit !

— C'est très grave !

— Oh, non, c'est rien du tout.

— Qu'est-ce qui se passe ? hurle Totomitl.

— Ta sœur est blessée.

— Emmenez-la chez la Huéhué ! »

Tandis que les petites filles et leurs mères viennent au secours de Xochipil, Pantli rejoint son ami, l'air sombre.

« Où se trouve Calmecahua ?

— Là-bas. Il a filé dès que Xochipil a crié. Qu'est-ce qu'elle a ?

— Une blessure. Ce Tlaxaltèque, il va bientôt manger des cailloux. Faire du mal à la petite tourterelle, qui est si douce et tendre !

— Attention, Pantli, il y a des barques à droite. »

La poursuite est gênée par l'affluence des pirogues. Les embarcations se cognent les unes contre les autres, les polochons volent, les feuilles de maïs et les fleurs de joncs s'éparpillent dans l'air, et il devient difficile de suivre Calmecahua.

Au centre de la ville, entre la muraille à têtes de serpent qui entoure l'espace sacré des dieux et les maisons à deux étages des dignitaires, la foule est considérable. Au milieu des vêtements blancs en fil d'agave du petit peuple, les manteaux de coton et les panaches de plumes des nobles resplendissent de couleur rouge, orange, verte et jaune. Pour la fête, les seigneurs ont mis les ornements qui indiquent leur place dans la société. Totomitl regarde avec émotion et un peu de jalousie les broches que l'on passe dans la lèvre inférieure : labrets en cristal de roche de ceux qui ont fait quatre prisonniers ; labrets de jade, plus prestigieux encore, qui sont réservés aux dignitaires qui ont le crâne rasé, des flèches de nez et dont les grands anneaux d'oreille étincellent d'or.

L'effervescence générale accentue l'énervement de Pantli. Il ne quitte pas des yeux Calmecahua, et rame avec violence en hurlant :

« Traître, fourbe, menteur, rat de marécage, moustique venimeux ! »

Calmecahua tourne sur la gauche pour contourner la Maison des dieux. Pantli se faufile dans son sillage, se rapproche, le rejoint, s'apprête à le doubler pour lui barrer le passage, lorsque le Tlaxaltèque plonge dans l'eau, ressurgit plus loin sur un embarcadère et détale à toutes jambes.

« Quel tricheur ! remarque Totomitl, avec mépris. Il n'a aucun sens de l'honneur.

— Il agit en traître. Mais fais-moi confiance, je vengerai ta sœur.

— La voilà ! » s'exclame Totomitl.

Sur la berge s'avance Miahualt, la courtisane. Elle a une quinzaine d'années, une jupe et une chemise magnifiquement brodées, et des fleurs dans les cheveux. Elle jette sur les deux amis un regard indifférent puis sourit à un seigneur richement vêtu qui s'approche d'elle.

« Rentrons, dit Totomitl, je n'ai plus envie de m'amuser.

— Oublie-la, remarque Pantli, son visage ne te rend pas toujours heureux. »

Tristes et déçus, ils retournent lentement vers la maison des guerriers, indifférents à l'allégresse générale.

Lorsque les deux garçons se rapprochent du district de la Maison des hérons où se trouve leur collège, Totomitl s'exclame :

« Regarde qui est là !

— Mon père, murmure Pantli, affolé. Il a l'air encore plus sévère que d'habitude. »

Devant la maison des jeunes gens, escortée par quatre serviteurs, la longue silhouette efflanquée du Gardien-De-La-Maison-Noire surveille les deux amis. Il porte, comme les plus valeureux guerriers, les cheveux tonsurés sur le sommet de la tête, une flèche de nez, et un collier de coquillages. Le dernier de ses trois manteaux superposés est décoré d'yeux de jaguar sur fond orange.

Les garçons baissent les yeux en s'approchant. Ils accostent, montent sur l'embarcadère et s'inclinent respectueusement devant le grand seigneur courroucé :

« Mon fils, écoute ce que je veux te dire, parce que je suis ton père, et que j'ai de grandes responsabilités dans ce royaume, par la volonté des dieux. Je t'ai vu, près de l'enceinte de la Maison des dieux, te conduire follement, poussant des cris d'insulte, t'agitant en tous sens, sans aucune dignité. »

Pantli, l'air contrit, fait rouler machinalement un caillou sous sa sandale.

« Et ne joue pas avec tes pieds comme quelqu'un qui se distrait. N'as-tu donc aucune volonté ? Sache que je ne ferai rien pour toi, quoique tu sois mon fils, si tu ne résistes pas toi-même dans ton cœur, pour devenir parfait et fort. Sinon tu deviendras comme une bête, à courir les bois et les plaines. »

Pantli murmure humblement :

« Je vénère ton visage et ton cœur.

— Alors fais pénitence et souviens-toi que les erreurs sont le chemin pour arriver à la perfection. Je n'ai rien d'autre à dire.

— Les paroles que tu as prononcées, je les tiens pour précieuses. »

D'un pas calme et lent, avec ses belles sandales rouges, le seigneur remonte dans sa litière que soulèvent les quatre serviteurs. Les deux garçons échangent un regard navré.

Dans une petite pièce blanchie à la chaux, Xochipil est allongée sur une natte, la tête posée sur des feuilles fraîches. Une plaie étroite, en haut de son front, saigne encore légèrement. Sa mère est assise à côté d'elle :

« Ma fille chérie, ma plume précieuse, quel malheur ! quel chagrin ! Mon dieu, elle est très blessée, elle va mourir certainement. Elle ne sera jamais prêtresse du dieu Serpent à plumes. Pourquoi la vie est-elle toujours si difficile ?

— Cesse de te lamenter », dit la Huéhué, en broyant dans une jatte de pierre une racine rouge mêlée à du tabac.

Elle s'approche de la petite fille et lui sourit de son bon visage ridé encadré de cheveux blancs.

« Ne te tourmente pas, ma colombe, ma tourterelle, tu ne sentiras plus rien dans un instant. »

Puis elle s'adresse à sa fille :

« Ne reste pas là. Va plutôt chercher du bois pour le feu, afin que la petite n'attrape pas froid. Le vent du nord nous fait grelotter. »

La mère, ses cheveux relevés en deux petites cornes sur la tête, vêtue d'une ample chemise sur sa jupe, se dirige vers le jardinet. La Huéhué s'empare d'une jarre d'eau qu'elle élève au-dessus du front blessé de Xochipil :

« Écoute, ma mère, déesse de l'eau, toi qui as une jupe de jade, viens délivrer cette tête ensorcelée, permets-moi de guérir cette tête avec la médecine rouge. »

Puis elle lave la blessure et enlève le sang avec un tissu de coton. Enfin elle pose délicatement sur la plaie le mélange qu'elle vient de broyer.

« Bientôt, il n'y paraîtra plus. D'ailleurs tu n'as pas à t'inquiéter. Tu es née un jour sept-fleurs, qui est un bon signe, lorsque l'on veut comme toi devenir scribe au temple du Serpent à plumes.

— Est-ce que je peux me lever ? Je n'aime pas rester à ne rien faire.

— Fais comme tu voudras, ma petite perle d'eau. Je t'apporte une feuille d'eucalyptus, et tu pourras peindre de jolis personnages, comme tu sais le faire. »

La mère revient avec du bois qu'elle dépose sur le brasero formé de trois grosses pierres.

« Ah ! tu es guérie, ma petite fille. Pour une fois le chagrin nous a épargnées ! Je vais dormir un peu pour me reposer de mon émotion. »

La Huéhué désapprouve ce projet.

« Va plutôt chercher de l'eau potable. Il n'y en a plus. »

La mère, contrariée, met une cruche sur sa tête et sort dans la cour. Xochipil commence à peindre calmement sur le papier, tandis que la Huéhué prépare pour le repas de l'après-midi une bouillie de sauge.

« Voilà pour la petite fleur ! » s'exclame une voix joyeuse.

Un garçon de vingt ans entre dans la maison. Il a un visage gai et bienveillant, et une grande bosse dans le dos sur laquelle se tient un oiseau-quetzal aux magnifiques plumes vertes. Il tend des cadeaux vers la petite fille.

« Voilà un bol de cacao à la vanille que j'ai pris dans les cuisines du palais et un bouquet de plumes multicolores car la beauté nous console de tout.

— Tu la gâtes trop, commente la Huéhué, amusée.

— On ne gâte jamais assez une petite colombe

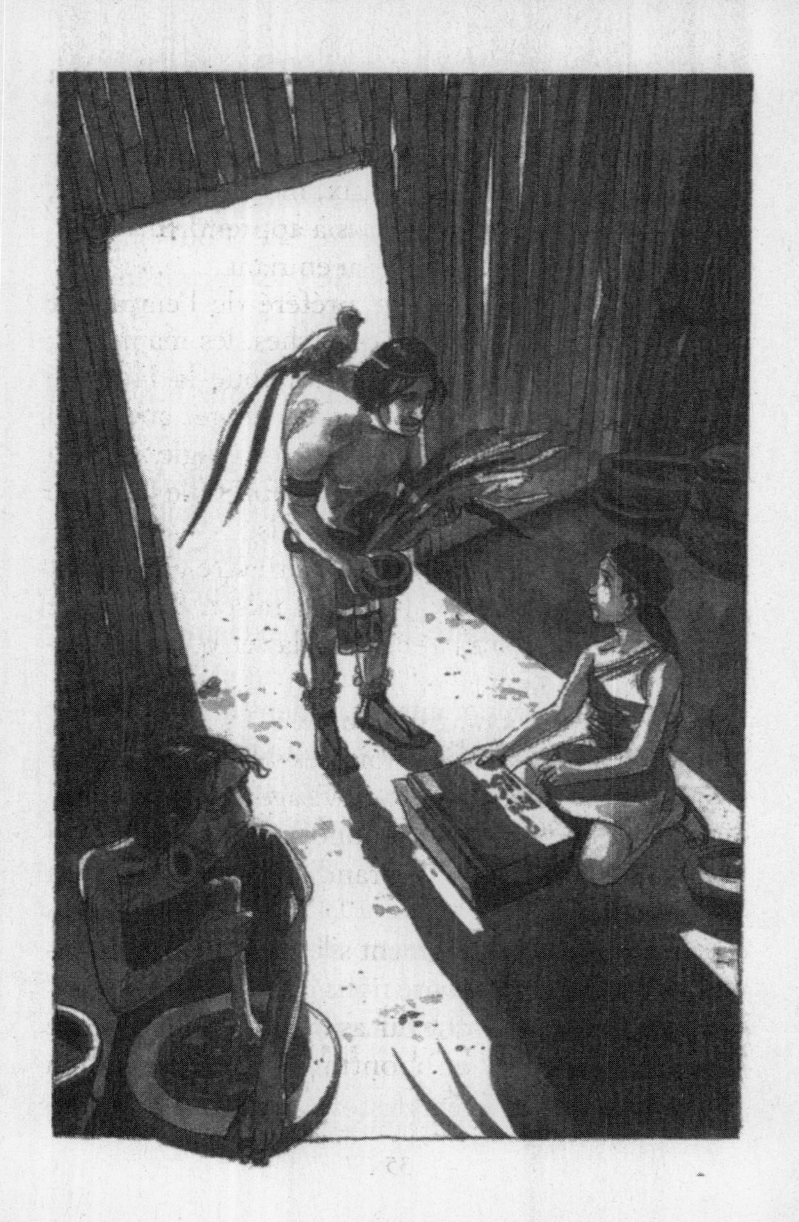

aussi douée pour la peinture. Quand elle sera grande, elle sera la meilleure scribe de Mexico. »

Xochipil sourit :

« Uemac, mon ami précieux, mon véritable ami, j'ai encore tellement de choses à apprendre.

— Moi aussi », dit le bossu en riant.

Uemac est le plumassier préféré de l'empereur Moctezuma dont il fait les panaches, les manteaux, les boucliers et les nattes. Tandis que la Huéhué broie bruyamment les graines de sauge, au grand déplaisir de l'oiseau-quetzal qui se réfugie dans la cour, Uemac s'assied près de Xochipil. Elle lui parle à voix basse, en fronçant les sourcils :

« Uemac, j'ai eu très peur. J'ai cru être gravement blessée. Crois-tu que ma mère a raison lorsqu'elle dit que nous sommes venus sur la terre pour souffrir ? »

Le plumassier a un bon sourire :

« Ta chère mère dit parfois des sottises. On vient sur la terre pour connaître son visage. À la naissance, tu n'es pas encore une personne, tu as un visage qui ne signifie rien. Et puis en grandissant, tu formes ton visage et ton cœur. »

Xochipil reste un moment silencieuse pour méditer ces précieuses paroles.

« Mais qu'est-ce que tu as peint là ? s'exclame Uemac, consterné, en montrant les dessins de la petite fille.

— J'ai peint la naissance du Soleil.

— Tu as bien montré que tout est plongé dans l'obscurité, lorsque les dieux demandent : "Qui va éclairer le monde ? Qui va avoir le courage de plonger dans le feu ?" Mais tu t'es trompée de dieu. C'est le petit dieu pustuleux qui se jette le premier et qui devient le Soleil. L'autre, au contraire, le dieu du coquillage, a peur. Il recule quatre fois avant de plonger dans la fournaise. C'est pourquoi, lorsqu'il devient la Lune, on le punit en lui envoyant un lapin à la figure. Ce qui explique que la Lune éclaire moins.

— Et ensuite, qu'est-ce que je dois peindre ? demande Xochipil.

— Tu dois peindre le Soleil qui ne bouge pas, et l'épervier qui s'envole pour lui demander : "Pourquoi ne bouges-tu pas ?" Alors le Soleil répond : "Je veux du sang de l'homme." Aussi, dans les derniers dessins, tu montres tous les dieux qui ouvrent leur poitrine avec un couteau de silex pour donner leur sang. Alors le Soleil commence à bouger et notre monde commence.

— Si tu lui expliques déjà tout, elle n'aura plus rien à apprendre quand elle entrera au collège religieux, commente la Huéhué.

— Elle aura à apprendre encore. C'est qu'il faut du temps et une douloureuse patience pour devenir un bon artisan, dit Uemac en sautant sur ses jambes. Au revoir, la Huéhué chérie. Au revoir, ma petite fleur. »

Au seuil de la porte, l'oiseau-quetzal gazouille en se réinstallant sur la bosse. Uemac se retourne :

« Le garçon qui t'a envoyé le polochon rempli de cailloux est un Tlaxaltèque, nommé Calmecahua.

— Comment le sais-tu ? interroge la Huéhué. Tu as encore été écouter les bavardages dans les cuisines du palais ?

— En venant j'ai croisé Totomitl et Pantli qui faisaient une triste figure. Je dois leur rapporter des nouvelles.

— Tu leur diras que la petite va très bien. Ce n'est pas la peine qu'ils viennent clandestinement la voir. »

Puis elle maugrée d'un ton réprobateur :

« Ces deux garçons-là ne peuvent pas se tenir tranquilles. »

Une ombre passe dans les yeux de Uemac :

« Méfie-toi de Calmecahua. C'est un garçon au double visage, et au double langage. »

À l'heure où l'Aigle décline derrière les collines et dore les champs de neige des hauts volcans, les jeunes guerriers prennent leur bain dans la lagune. Ils se frottent le corps avec de la saponaire dont l'écume se répand sur le lac, en petits flocons blancs, comme des boules de coton. Totomitl sort la tête de l'eau, sèche ses yeux d'un revers de main et aperçoit Pantli, immobile.

« Ne fais pas cette tête sinistre !

— Je pense à mon père qui ne me sourit jamais.

— Il sourira quand tu seras devenu un vaillant guerrier.

— Comment veux-tu que j'y arrive ? »

Totomitl devine que Pantli songe au jour de sa naissance. Son ami est né sous le signe dix-jaguar qui le destine à être malheureux dans tout ce qu'il entreprend, à moins qu'il fasse beaucoup de pénitences et montre une constante humilité. Totomitl s'approche de lui gentiment.

« Ce ne sera pas si difficile. Il te suffit de souffrir les insultes sans te venger. Je t'aiderai. Nous deviendrons ensemble de valeureux guerriers. »

Mais Pantli reste maussade. Totomitl insiste :

« Les prêtres conseillent d'accepter avec gratitude ce que nous envoient les dieux.

— Je ne suis pas prêtre, justement », répond Pantli, buté.

Un Frère aîné apparaît alors sur la berge. Il annonce d'un ton triomphal :

« Les jeunes guerriers de notre collège ont été choisis pour participer à la prochaine Guerre fleurie contre Tlaxala. »

Des cris de joie saluent cette nouvelle. Totomitl, avec de grands mouvements de bras, éclabousse Pantli.

« Ce n'est plus l'heure de la tristesse ! Nous ferons un prisonnier et ton père te sourira, et la courtisane merveilleuse me sourira, et le Soleil me sourira, et le vénérable lapin dans la Lune me sourira... »

Le Frère aîné interrompt cette liesse.

« L'entraînement pour les guerriers sera intensifié : toutes les nuits, course silencieuse. Tous les jours, marches d'endurance, combats à l'épée et au bouclier, jet de perches et de javelines. Vous n'aurez plus qu'un seul repas par jour.

— Tu n'auras guère l'occasion de revoir les yeux d'obsidienne, remarque Pantli qui retrouve le sourire.

— Qui sait ? En attendant, viens. On va se laver les dents pour aller danser. Et je danserai en appelant les dieux de tout mon corps pour mériter leurs faveurs. »

[illegible]

fleurit

[illegible]

L[illegible] contes [illegible] mpagnées [illegible]
O[illegible] lire un [illegible] la
[illegible] te m[illegible]
[illegible] de
[illegible] ans il [illegible] qu[illegible]
[illegible]x où [illegible]
[illegible] la [illegible] se
[illegible] se [illegible]
[illegible] la [illegible] du
[illegible] de la Pl[illegible]

[illegible]

I

2

La Guerre fleurie

Tout en courant avec ses compagnons sur la chaussée de l'Ouest, Totomitl médite un plan. Puisque la course silencieuse a lieu, cette nuit-là, sur la colline des Chichimèques, il fera un détour par la source de la Tortue de jade. Peut-être y rencontrera-t-il la belle courtisane. Il faut absolument qu'il sache si le visage de Miahualt le rend heureux ou malheureux.

Après avoir traversé la lagune, les guerriers se séparent. Ils doivent, sans se faire voir ni entendre, déposer une goyave dans la maison de brume du dieu de la Pluie.

« Je vais passer derrière la colline, chuchote Pantli. Et toi ?

— Je monte tout droit. Pour la descente, c'est un secret.

— Un secret aux yeux d'obsidienne ? »

Totomitl sourit d'un air complice.

« Alors ne te fais pas voir par un Frère aîné, conseille Pantli.

— Rassure-toi. Je serai invisible comme la nuit et impalpable comme le vent. »

Totomitl se dirige vers le bois le plus proche pour gagner du temps. Mais bientôt il reçoit dans la figure une fumée noire que le vent rabat vers le lac.

« Quel est l'imbécile qui fait du feu la nuit ? » songe-t-il en se frottant les yeux.

Lorsqu'il arrive près du gros tas d'herbes et d'arbustes qui se consume lentement, il entend :

« Totomitl ! »

Le garçon se retourne et découvre son père. Près du feu, un grand bâton à la main pour attiser les flammes, il a enlevé son manteau et sourit de son visage paisible.

« Regarde, mon fils, le beau terrain que m'ont attribué le chef et le conseil de notre quartier. J'ai toute cette parcelle-là », dit-il en montrant l'espace qui est devant lui.

Totomitl prend la main droite de son père et la porte respectueusement à son front. Le paysan continue ses explications.

« C'est une bonne terre, en jachère depuis sept

ans. Toute cette cendre fera un bon engrais. Vois-tu, pour le maïs, il n'y a que l'engrais et la pluie qui comptent. Et les bêtes évidemment. »

Totomitl connaît ce discours par cœur : son père est intarissable sur les mulots qui dévorent les graines, les insectes qui pondent leurs œufs dans les plants et surtout la sécheresse.

« Ici, je vais construire une hutte pour la famille. Une hutte bien confortable...

— Père bien-aimé, interrompt Totomitl, je suis pressé. Nous faisons une course.

— Excuse-moi, mon fils. Je t'ennuie avec mes discours. Je suis un bavard que tu dois trouver bien rustre et grossier, toi qui étudies si bien au collège. Je suis fier de toi, mon enfant chéri. J'ai appris avec une grande satisfaction que tu participeras à la Guerre fleurie au début de la prochaine année. Surtout continue à être obéissant et agréable aux dieux. Lorsque tu es né et que nous t'avons porté à la maison du dieu, ta mère et moi...

— Père bien-aimé, interrompt à nouveau Totomitl, je suis pressé.

— C'est vrai ! Ne m'en veux pas si mes sottes paroles te donnent de l'impatience et des maux d'estomac. Mais ici, tout seul, la nuit, je suis content de bavarder un peu. Vois-tu, je préfère brûler les herbes la nuit que le jour. Le jour, cela dérange tous ceux qui vont et viennent autour du lac, tandis que la nuit, il n'y a personne.

— Père, supplie Totomitl.

— Tu as raison, fils, je suis un détestable bavard. »

Puis il le chasse d'un revers de main.

« Allez va... va... et dépêche-toi de gagner la course.

— Porte-toi bien, mon cher père », crie Totomitl en disparaissant dans le bois.

La maison de brume est décorée de branches de sapin. À l'intérieur, devant la statue du dieu de la Pluie, il y a déjà trois goyaves et Totomitl est dépité de n'être point arrivé le premier. Il dépose son fruit et repart en courant vers la source de la Tortue de jade. Il n'y a pas âme qui vive près de l'eau qui murmure doucement entre les pierres couvertes de mousse, avant de se répandre dans un bassin. Totomitl erre tristement dans les environs parsemés de fleurs. Ne rencontrant personne, il s'apprête à repartir lorsqu'il entend chanter :

« *Que vienne la danse, que vienne le chant, que viennent la joie et le plaisir.*
Mes chants ne cesseront pas, ils se dispersent, ils se répandent,
Mes fleurs ne faneront pas, elles s'épanouissent, elles s'éparpillent,

beaux chants et belles fleurs
vous êtes notre bonheur.

— C'est elle », murmure Totomitl, le cœur battant.

Il s'approche de son pas léger et découvre la fille aux yeux d'obsidienne en train de se parfumer. Vêtue d'une jupe et d'une chemise, les cheveux dénoués, elle virevolte dans la fumée de l'encens qui brûle sur un brasero. Totomitl se sent brusquement intimidé. Comment aborder cette courtisane au langage si arrogant ? Quel dommage qu'il ait encore cette mèche dans le cou ! Tandis qu'il médite sur la conduite à tenir, il sursaute en entendant :

« Miahualt ! »

La jeune fille détourne la tête et sourit d'un air malicieux :

« Tiens ! Voilà l'astucieux trafiquant ! Tu voles toujours du sel, comme à Cempoala ? »

Calmecahua sort d'un bosquet.

« Et toi, que fais-tu à Mexico ? »

Miahualt lui lance une œillade coquette :

« Mon signe prévoit un mariage avec un grand guerrier.

— Et il n'y a pas de grands guerriers dans le pays des Totonaques ?

— Les plus grands sont ici.

— Tu n'as pas changé ! Toujours aussi ambitieuse. »

Miahualt prend une voix douce :

« Je me soumets humblement à mon destin. Rien ne peut davantage satisfaire les dieux.

— Treize-eau, je m'en souviens. Tu es née sous un signe treize-eau. Donne-moi une fleur, la très belle, que je respire son parfum jusqu'à la colline de la Sauterelle[1]. »

Miahualt cueille un lis blanc, puis tâte le sac que le garçon porte sur le dos.

« Qu'est-ce que tu transportes ? »

Calmecahua lui jette un regard narquois.

« Je fais une course honnête, pour une fois. J'apporte aux prêtres de la résine aromatique de pin. À bientôt ! »

Sur le visage de Miahualt erre un sourire amusé. Totomitl réprime mal sa colère et sa jalousie. Ainsi la courtisane a pour ami un traître comme Calmecahua. Pantli avait bien raison de se méfier d'elle. Pourtant son beau visage le remplit de joie. La courtisane le rend à la fois heureux et malheureux. Ne sachant plus que penser, il s'éloigne en silence.

1. Chapultepec.

Pendant les cinq jours néfastes[1] qui séparent l'ancienne année de la nouvelle[2], personne ne bouge dans la ville de Mexico. Les temples sont silencieux, les canaux déserts et la poussière s'accumule dans les rues. Seuls les hérons et les oiseaux s'agitent sur la lagune, seuls les canards répondent aux coassements des grenouilles.

Le troisième jour de l'année treize-lapin, les jeunes guerriers roulent leur natte, nouent leur pagne en fil d'agave, se lavent les dents avec un mélange de cendre et de miel et enfilent leur tenue de combat : tunique courte rembourrée de coton, casque et bouclier rond de roseaux, épées de bois au tranchant d'obsidienne. Puis tous se rassemblent autour du foyer central dans la grande pièce. Le chef du collège militaire prend de l'encens qu'il jette sur le feu et déclare :

« Ô Miroir fumant[3], dieu de la Guerre, fais que tous soient courageux. Que leur cœur ne ressente point la peur. Vous, les guerriers, n'oubliez jamais que votre mission est de donner à boire au Soleil avec le sang des ennemis, et de nourrir la terre avec

1. Ce sont les cinq jours sans signe entre deux années.
2. Année treize-lapin : 1518.
3. Tezcatlipoca : dieu de la Guerre et du Ciel nocturne.

leurs corps. Votre pays est dans le ciel, et votre repos dans l'étreinte de notre père le Soleil, le Colibri[1] du Sud, l'Aigle qui monte au firmament. »

Au sud du Popocatepetl[2], les guerriers de Mexico et ceux de Tlaxala sont face à face dans la plaine. Totomitl et Pantli ont du mal à calmer leur impatience.

« Je me sens la force d'un jaguar, chuchote Pantli.

— Surtout, ne tue pas ton adversaire.

— Je connais les règles : ne pas frapper à la tête, attaquer aux bras et aux jambes... »

Puis, saisi par une inquiétude soudaine :

« Tu crois qu'ils pourraient nous faire prisonniers ?

— Non. Nous sommes les plus forts. »

Chants et cris de guerre, flûtes et tambours excitent l'ardeur des combattants. Un guerrier-aigle, entièrement recouvert de plumes, la tête émergeant du bec de l'oiseau, frappe un petit tambour accroché à son cou. Aussitôt le premier rang des archers

---

1. Uitzilopochtli veut dire le « Colibri (ou l'oiseau-mouche) de la gauche ». La gauche étant au sud pour les Aztèques, Uitzilopochtli se traduit aussi par le « Colibri (ou l'oiseau-mouche) du Sud ». Ultzilopochtli est le nom du dieu du Soleil.

2. La montagne qui fume.

lance les javelines. Puis le deuxième rang, celui armé de glaives, s'avance à son tour.

D'un bref coup d'œil, Totomitl élimine les chefs, auxquels il n'a pas le droit de s'attaquer et qui sont reconnaissables à leurs vêtements brodés et à leurs petits drapeaux, emblèmes de leur cité. Il choisit comme adversaire un garçon simplement vêtu de blanc, comme lui.

Les deux guerriers se jettent des regards farouches. Puis, tous deux en même temps tirent leur glaive au tranchant d'obsidienne. Totomitl se protège avec son bouclier de roseau. Les deux guerriers sautent, attaquent, esquivent en poussant de grands cris. Les coups sont de plus en plus violents et rapides. Soudain le Tlaxaltèque projette en l'air le glaive de Totomitl. Celui-ci se plaque sur le sol, saisit brutalement les jambes de son adversaire et le fait culbuter. Le Tlaxaltèque se débat avec une énergie farouche. Enfin, grâce à une prise de combat récemment apprise, Totomitl fait tourner son adversaire sur le dos, l'immobilise en s'asseyant sur son ventre et pousse un cri de triomphe. Puis il déclare au vaincu, selon la formule consacrée :

« Maintenant, tu es mon fils bien-aimé.

— Et toi, mon père vénéré », répond le Tlaxaltèque, abasourdi.

Totomitl fait signe à un des guerriers chargés de

la garde des prisonniers. Celui-ci accourt pour attacher les mains du vaincu que Totomitl tire par les cheveux hors de l'espace du combat. De temps en temps il se retourne pour admirer son prisonnier qui a un beau visage régulier, le nez bien fait, les cheveux bien raides et la peau douce comme une tomate.

Pantli aussi a fait un prisonnier. Sans doute l'a-t-il trop durement frappé, car le vaincu semble évanoui. Pantli, assis sur son dos, le secoue par les épaules :

« Réveille-toi ! Ne reste pas là comme un serpent endormi ! Hé, l'ami ! Ne te laisse pas mourir ! »

Pantli s'alarme et de grosses gouttes de sueur perlent sur son front.

« Psstt... Psstt... »

Le guerrier lève les yeux et découvre Calmecahua, assis sur la branche d'un cèdre, qui surveille le combat.

« Tu ne m'as pas rattrapé l'autre jour, hurle Calmecahua.

— Ce sera pour la prochaine fois. Tu n'échapperas pas à la vengeance de Xochipil. »

Tous deux s'égosillent pour s'entendre au milieu du tumulte.

« Qui est Xochipil ? crie le garçon.

— La petite fille précieuse que tu as blessée avec tes cailloux. Tricheur, traître, fourbe ! »

Pendant ce temps, le prisonnier entrouvre un œil et cherche à profiter de la situation.

« C'était juste une farce ! » clame Calmecahua.

Pantli devient furieux.

« On ne fait pas de farce avec la vie d'une petite fille. Un jour je t'écrabouillerai la tête comme une galette. Une galette bien fine, bien mince, comme ça. »

Et pour ajouter le geste à la parole, Pantli lâche les épaules de son prisonnier et écrase ses paumes l'une contre l'autre. Aussitôt, le prisonnier se cambre violemment, renverse Pantli et déguerpit à toute allure. Calmecahua explose en un long et bruyant fou rire. Pantli, consterné, regarde ses mains vides. Autour de lui résonnent les cris de guerre et les chants militaires.

Le son aigu d'un sifflet en os signale la fin du combat. Totomitl rejoint son ami tristement assis par terre.

« Qu'est-ce qui t'arrive ? »

Pantli lève un visage encore ahuri.

« J'en avais attrapé un et puis... il m'a échappé.

— Comment ? »

Pantli, honteux, tente d'expliquer :

« Je m'emporte, je m'emporte. Je suis entraîné par la colère... la colère m'emporte où elle veut... et moi, et moi... »

Il baisse la tête.

« Moi, je deviens lamentable. »

Totomitl, par discrétion, ne demande pas d'autres explications et réconforte son ami.

« Ce n'est pas grave. J'ai fait un prisonnier. Je dirai que nous l'avons fait ensemble. Ainsi tous les deux, nous deviendrons *iyac*[1].

— C'est possible ? s'étonne Pantli.

— Évidemment. Mais qu'est-ce qui te prend ? Tu perds la mémoire maintenant ? Tu sais bien que pour devenir *iyac* on peut faire un captif à deux ou trois. »

Pantli a un petit sourire de soulagement.

« Comment est-il notre prisonnier ?

— Il est beau, bien fait et il a la peau douce comme un galet. »

Sur les versants de la colline des Chichimèques, les femmes plantent le maïs. Xochipil forme, avec une houe, des petits monticules de terre séparés les uns des autres de la longueur d'un avant-bras. Sa grand-mère, à l'aide d'un bâton, les perce de quatre trous dans lesquels elle plante quatre grains de maïs. Enfin la mère

1. Étymologiquement « iyac » veut dire « puant ». Peut-être parce que les « iyac » étaient très prétentieux.

de Xochipil écrase le monticule d'un coup de talon, pour enfouir les graines.

Lorsque quatre rangées sont semées, la Huéhué frissonne de plaisir.

« Le Soleil nous réchauffe à nouveau.

— Je vais en profiter pour faire une petite sieste », décide la mère.

La grand-mère hoche la tête, navrée :

« Ma fille, tu es un oreiller, une masse endormie, le sommeil en personne. »

Puis s'adressant à Xochipil :

« Reste pour surveiller les graines, que les oiseaux ne les mangent pas. Je monte à la maison de brume faire une offrande au dieu. »

La Huéhué s'empare du bâton à sonnailles réservé à ceux qui vénèrent le dieu de la Pluie et dont les grelots font une joyeuse musique. Elle se dirige vers la forêt. Xochipil dessine des paysans sur le sol avec un petit morceau de bois. Tout est calme et paisible. La douce chaleur du printemps fait bourdonner les insectes et gazouiller les oiseaux.

Soudain, Xochipil tend l'oreille. Une voix bouleversée chante :

Notre vie n'est qu'un rêve
notre vie n'est qu'un songe,
nous ne sommes ici que de passage.

Même les jades se brisent,
même les plumes se déchirent
même les ors se fendent.
Nous quitterons les belles fleurs,
nous partirons, nous disparaîtrons,
nous ne reviendrons pas une deuxième fois
sur la terre.

« Quelle douleur ! » songe la petite fille.

Elle jette un coup d'œil sur sa mère endormie et se dirige vers le son de la voix.

Devant une maison de bambou couverte de feuillage, Miahualt chante sa détresse.

« Bienvenue ! » s'exclame joyeusement Xochipil.

Miahualt jette un regard sur l'expression tendre de l'inconnue, essuie ses larmes en barbouillant son visage de jaune et de rouge, et répond :

« Bienvenue, petite fille.

— Je surveille le maïs, tout près d'ici, et j'ai entendu ton cœur plein de chagrin. As-tu un souci ?

— La vie est si courte. Quand j'y pense, l'angoisse me saisit à la gorge au milieu des fleurs.

— Tu es encore jeune », s'étonne Xochipil.

Miahualt garde l'air sombre.

« Je suis née sous le signe treize-eau. Je dois épouser un vaillant guerrier, sauf si je meurs avant. À l'idée de la mort, la peur me saisit, me serre, m'étouffe le cœur, alors je chante, je chante pour respirer encore, pour respirer les belles fleurs.

— Veux-tu que je te raconte une histoire pour chasser ta peine ? » propose Xochipil.

Miahualt sourit faiblement.

« Je voudrais connaître l'histoire de Mexico, au cas où j'épouserais un guerrier aztèque. »

Xochipil se concentre un moment :

« Les Aztèques sont venus du Nord, du pays des plantes épineuses. Ils ont quitté la ville d'Aztlan la blanche pour conquérir les hautes terres du Midi, guidés par leur dieu, le Soleil, le Colibri du Sud. Ils ont marché de très, très longues années, vêtus de peaux de bête, se nourrissant de racines, de lézards, de poissons de rivière. Puis un jour ils ont trouvé ce que le dieu leur avait annoncé : un saule blanc près de joncs et de roseaux. Et au milieu de ces joncs et de ces roseaux, sur un rocher, se dressait le signe promis à notre peuple : un aigle, debout sur un figuier de Barbarie, tenant dans son bec un serpent. Alors la voix du Soleil résonna sur toute la lagune jusqu'aux volcans : "Oh ! Mexicains ! C'est ici !" Le peuple du Soleil avait fini sa longue migration. Sur ce rocher il a commencé à bâtir Mexico-Tenochtitlan[1].

— C'était il y a longtemps ? »

---

1. *Mexico* : la ville au milieu du lac. *Tenochtitlan* : le lieu du figuier de Barbarie.

Xochipil fronce les sourcils. Elle vient d'entendre le bâton à grelots de sa grand-mère qui s'approche d'un pas lent et tranquille.

« Je dois m'en aller, chuchote-t-elle. Je reviendrai.

— Tu seras toujours la bienvenue, car tu as chassé l'angoisse de mon cœur. Mon nom est Miahualt.

— Le mien est Xochipil. »

La petite fille rejoint la Huéhué qui l'attend d'un air mécontent.

« Que fais-tu avec cette courtisane ?

— J'ai entendu son chant d'angoisse. Alors je suis venue la consoler.

— Tu sais pourtant que les courtisanes marchent la tête haute et insolente, mâchonnent leur bâton de gomme en public, se moquent des gens et les dévisagent dans les yeux. Celle-là, je l'ai déjà remarquée. Elle vagabonde sur tous les chemins et rentre seule la nuit.

— C'est qu'elle a le cœur tranquille. »

La grand-mère est agacée par la réponse.

« Une fille honnête a peur de la nuit et des femmes-fantômes. Je ne veux pas qu'une petite plume riche, comme toi, la fréquente davantage. »

Xochipil s'entête :

« Les paroles des vieillards conseillent de donner à manger à l'inconnu qui a faim et de donner de la joie à l'inconnu dont le cœur souffre. »

La Huéhué se fâche devant tant d'obstination.

« Te voilà bien insolente. Les préceptes des vieillards conseillent aux enfants de vivre en grande humilité devant leurs parents. Ne l'oublie pas. Et surtout qu'il ne te vienne pas à l'esprit de te mettre de la couleur sur la figure ! »

Xochipil baisse la tête et marche dans un silence buté. Puis elle conclut :

« Je trouve cette courtisane très gentille. »

En se réveillant, Totomitl se frotte la nuque et sourit. Sa mèche est bien coupée. Il est bien devenu un *iyac*. Il va pouvoir faire pousser tous ses cheveux, pour les laisser pendre du côté droit. Il roule sa natte et sort dans la cour.

Pantli est déjà levé. Son crâne paraît plus rond sans la mèche sur la nuque. Il se tient devant la cage de bois où sont enfermés quatre Tlaxaltèques.

« Il a grossi, remarque Pantli, en désignant leur prisonnier.

— Ce n'est pas comme nous, soupire Totomitl qui supporte difficilement le jeûne obligatoire avant les fêtes.

— Je l'ai bien nourri.

— Dis plutôt que tu l'as gavé comme un dindon. »

Totomitl s'approche du prisonnier.

« Comment va notre fils bien-aimé ? Se réjouit-il de connaître la mort du sacrifié ? »

Le prisonnier répond d'un ton sinistre :

« Aujourd'hui, c'est mon tour. La prochaine fois, pères vénérés, ce sera le vôtre.

— Pourquoi es-tu si affligé ? s'étonne Pantli. Tu vas devenir un compagnon du Soleil.

— Nous allons te mettre un beau vêtement blanc, fait de plumes de duvet, précise Totomitl.

— Une fois que tu seras lavé et coiffé, tu seras magnifique, ce soir. »

Mais le prisonnier continue à baisser tristement la tête.

Le soir, pour fêter le dieu de la Pluie[1] et lui demander d'arroser les jeunes plants de maïs, les Mexicains se rassemblent dans l'enceinte sacrée, la Maison des dieux. C'est une place immense[2], entourée d'une muraille crénelée et décorée de têtes de serpent. Dans l'enceinte sont concentrés des pyra-

1. Tlaloc.
2. L'enceinte mesurait 400 mètres sur 300 mètres soit 120 000 mètres carrés (12 hectares), une fois et demie la surface de la place de la Concorde à Paris.

mides, des collèges, des fontaines et bassins, des chevalets à crâne et un jeu de pelote.

Les guerriers pénètrent par le bastion de la porte de l'Aigle. Totomitl et Pantli tirent leur prisonnier et s'arrêtent devant la plus haute pyramide dont le sommet soutient deux temples : à droite, celui du dieu du Soleil, peint en rouge et blanc, décoré de crânes sculptés, et surmonté d'une frise de papillons. À gauche, celui du dieu de la Pluie, blanc et bleu, surmonté de coquillages marins. À côté, des statues tiennent des bannières faites de plumes multicolores. Sur les cent vingt marches couleur de sang séché, sont répandues des guirlandes de fleurs et des branches de sapin, tandis que brûlent, sur chaque plate-forme, des braseros et des torches tenues par des prêtres.

Totomitl jette un regard triomphant sur la foule : petit peuple en blanc, bavard et joyeux, dignitaires dont les manteaux brodés d'un soleil, d'un nœud de turquoise, d'un masque de serpent, d'une tête de loup, d'une griffe de dindon, rouge, orange, bleu ou vert, font des taches éclatantes. Les guerriers-aigles et les guerriers-jaguars ont revêtu leurs toisons de plumes ou de peaux de bête.

Les prêtres chanteurs, accompagnés par les flûtes, les trompettes, les tambours et les carapaces de tortue qui claquent comme des cymbales, entament un air grave. Aussitôt les guerriers et leurs captifs, couverts de duvet, commencent une danse lente et solennelle en se tenant par la main.

Jamais Totomitl n'a dansé avec autant de bonheur. Jamais il n'a trouvé les étoiles aussi brillantes, les volcans aussi étincelants. Jamais il n'a tant apprécié le parfum de l'encens, des herbes odoriférantes, du caoutchouc brûlé dans les cassolettes. Depuis qu'il est *iyac*, il se sent tout neuf et joyeux, prêt à s'émerveiller du miracle de l'univers.

Les conques mugissent le milieu de la nuit. L'assistance s'éclaircit. Beaucoup s'en vont dormir en attendant les sacrifices de l'aube.

Pendant des heures les danseurs tapent du pied, font de grands cercles, tournent les uns autour des autres, se rapprochent, se séparent, se rejoignent. Leurs mouvements deviennent plus machinaux, leurs esprits plus brumeux. Une sorte d'ivresse engourdit les corps qui offrent aux dieux leur énergie et leur fatigue.

La musique s'arrête lorsque les conques annoncent la prochaine apparition du jour. Les petites gens et les nobles seigneurs se pressent dans l'enceinte sacrée. Alors s'avance le vénérable prêtre du dieu de la Pluie dont il porte le masque aux grands yeux ronds et la perruque surmontée de plumes. Suivent des prêtres dans leurs longues robes noires, le corps et le visage peints en noir, les pieds et les mains en rouge, la chevelure foncée avec du goudron. Tous montent lentement les cent vingt marches du temple.

Sur le parvis un autre prêtre, dont le galon du manteau vert foncé est décoré de crânes, déclare aux prisonniers épuisés :

« Ô vous, frères bien-aimés, qui allez recevoir l'honneur divin du sacrifice, que votre cœur se réjouisse de rencontrer la mort au fil d'obsidienne ! Que perpétuelle soit votre joie lorsque vous réveillerez le Soleil par des chants et des danses et lorsque, transformés en colibri ou en papillon, vous vivrez pour toujours parmi les fleurs ! »

Totomitl et Pantli, les plus jeunes combattants, tirent par les cheveux leur captif, abasourdi de fatigue, et le confient à un prêtre qui le fait monter jusqu'au sanctuaire du dieu. D'autres prêtres viennent chercher d'autres prisonniers.

« Grâce à nous, murmure Totomitl, le Soleil va se lever. »

Dès que leur prisonnier arrive en haut de la pyramide, cinq prêtres le saisissent par ses membres et son cou. Ils l'allongent sur le dos, la tête renversée en arrière, sur une grosse pierre arrondie. Le vénérable prêtre du dieu de la Pluie brandit un silex ouvragé et lui transperce la poitrine. Il en retire le cœur qu'il élève vers le ciel avant de le déposer dans une urne de pierre. Le cadavre est renversé sur les marches.

Totomitl et Pantli regardent rouler leur prisonnier. Lorsqu'il arrive au pied de la pyramide, un prêtre coupe sa tête pour la mettre sur le chevalet à crâne, un autre coupe sa cuisse en disant :

« Bienheureux es-tu, mon frère, d'avoir nourri le Soleil. Maintenant je prends cette cuisse pour notre vénérable empereur. »

Les jeunes gens du collège s'attroupent pour porter le cadavre au collège des guerriers. Totomitl et Pantli sont épuisés d'émotion.

3

L'homme-hibou

Le lendemain matin, un garçon de seize ans, les cheveux longs sur un manteau loqueteux, pénètre dans le palais de l'empereur. L'air insouciant, il s'écarte des maisons réservées à Moctezuma et à l'administration de l'empire, et traverse plusieurs cours fleuries où de nombreux serviteurs en pagne blanc circulent comme des fourmis.

Lorsqu'il atteint la Maison des oiseaux, Uemac est assis au centre d'une longue pièce bordée de cages où pépient des volatiles de toutes les provinces. Leur vacarme ne trouble pas le plumassier qui renforce la tige d'une plume rouge par un fin bâtonnet. Puis il noue en bouquet, avec du fil d'agave, les plumes ainsi préparées. Le garçon aux cheveux longs examine un moment les doigts délicats et habiles du plumassier et siffle le cri de l'oiseau-quetzal. Celui-ci, installé sur la bosse de son maître, répond en déployant son plumage vert et Uemac relève la tête.

« Chimali ! Tu es revenu des Terres chaudes ?

— Nous sommes rentrés cette nuit. »

Le plumassier dévisage le visiteur avec ironie.

« À voir ton manteau misérable, ton père a dû conclure de bonnes affaires.

— Tu te trompes. De très mauvaises au contraire, affirme Chimali sans conviction.

— Vous me faites rire, vous les négociants[1] ! Croyez-vous tromper notre vénérable empereur sur vos richesses, en vous habillant comme des malheureux ! »

Chimali insiste :

« Je t'assure que nous n'avons presque rien rapporté. Juste quelques plumes de quetzal pour toi.

— Justement, j'ai besoin de recouvrir cette armature de plumes ordinaires par des plumes précieuses. Viens voir, j'ai quelque chose à te montrer. »

Uemac entraîne son ami vers un manteau dont les plumes représentent l'aigle de Mexico, les ailes ouvertes, sur un figuier de Barbarie.

---

1. Les Aztèques distinguaient parmi les marchands : – les négociants *(pochteca)* qui faisaient du grand commerce avec les provinces lointaines. – Les petits commerçants de la ville et de la proche campagne.

« Regarde comme c'est beau ! murmure le plumassier.

— C'est toi qui me fais rire à parler tout le temps de beauté avec ta vilaine bosse sur le dos. »

Uemac ne paraît pas offensé. Au contraire, il répond gaiement :

« Je te ferai remarquer d'abord que ma bosse sert de perchoir à l'oiseau-quetzal qui, lui, est magnifique. Ensuite, comme le disait notre seigneur Serpent à plumes[1], l'important est de rendre beaux son visage et son cœur. »

Il élève l'habit de plumes avec attendrissement :

« J'ai mis, dans ce travail, tout l'amour que j'ai pour la vie. »

Puis il se tourne vers son ami :

« Tu ignores combien c'est difficile de graver son émotion, de la donner à voir dans un mouvement de plumes, dans un dégradé de couleurs, dans... »

Chimali soupire d'impatience. Uemac s'esclaffe :

« Vous, les négociants, vous avez pour la beauté le cœur fruste d'un dindon. »

Puis, changeant de ton, il ajoute :

« Que rapportes-tu comme nouvelles des Terres chaudes ?

— Rien. Enfin mon père les dira lui-même à l'empereur. »

---

1. Quetzalcoatl : *Coatl* en nahualt veut dire serpent, et *quetzal*, plume.

Les yeux d'Uemac brillent.

« Alors il s'agit certainement de nouvelles importantes ! ».

Chimali fait semblant de ne pas l'entendre. Uemac insiste.

« Que s'est-il donc passé quand vous étiez là-bas ?

— Tu es toujours aussi curieux. Parle-moi plutôt de Mexico.

— Notre empereur est bien soucieux.

— Encore ! s'exclame Chimali.

— Depuis cette comète dans le ciel, et ce bouillonnement dans la lagune, il est devenu terriblement inquiet. Allez, je t'emmène dans les cuisines boire du cacao à la vanille. Puis tu me raconteras cette nouvelle importante. Tu comprends bien que je dois réconforter notre empereur bien-aimé. »

Chimali pouffe de rire.

« Je comprends surtout que tu grilles de curiosité. Mais dégustons d'abord ce cacao. »

Le soir, c'est la fête dans la maison des jeunes guerriers. À la lumière des torches, chacun s'active pour la préparation du banquet. Les uns balayent, d'autres apportent du bois, d'autres des jarres remplies de jus d'agave, d'autres des fleurs. Sur les braseros de trois pierres, de grandes marmites dégagent une bonne odeur de maïs et de fleurs de calebasse.

Les nobles, parents ou amis, invités pour la fête, arrivent, dans leurs manteaux d'apparat. Ils s'installent sur des nattes le long des murs de la grande pièce, ornée de branches et de fleurs. Une chaise basse, sans pied, attend le Gardien-De-La-Maison-Noire. Pantli promène sa large silhouette de la cour à la cuisine, de la cuisine aux invités, des invités à la cour, pour s'assurer que tout est bien en place.

Lorsque le Gardien-De-La-Maison-Noire apparaît, avec son manteau orange brodé d'yeux de jaguar, son labret couleur de jade et son collier de coquillages, chacun s'incline. Pantli porte humblement la main paternelle à son front et conduit le vénérable personnage vers sa chaise. Tous s'installent. Les joueurs de flûte entament un air allègre qui ne déride pas le masque impassible du haut dignitaire. Le silence se fait pour écouter ses paroles.

« Seigneurs, maîtres des jeunes gens ici présents, nous sommes honorés de partager votre repas, réunis par la volonté du dieu de la Guerre, Miroir fumant. Il y aurait beaucoup de choses à dire, mais j'en retiendrai deux parmi les sentences des vieillards. La première est que vous gardiez la paix entre vous, que vous vous respectiez et ne vous offensiez pas. La deuxième est que vous ne perdiez pas le temps que dieu vous a donné en ce monde.

Ne perdez ni jour ni nuit pour entretenir votre corps et surtout prenez grand soin de la danse, du tambour et du chant. »

Puis chacun se lave les mains dans de larges bassines.

« Il ne m'a pas souri, murmure Pantli à Totomitl.

— Attends un peu. Tu es trop impatient. »

Le repas commence par du caviar d'œufs de mouches d'eau avec des fruits tropicaux venus des Terres chaudes. Chacun mange avec trois doigts de la main droite. Puis un jeune garçon apporte la première marmite d'où émergent, entre les grains de maïs, des morceaux de bras.

« Veux-tu manger la chair de ton prisonnier ? »

Totomitl répond gravement.

« Il est mon fils bien-aimé. Je ne pourrai manger ma propre chair. »

Le garçon présente alors la marmite devant Pantli qui fait la même réponse et regarde son père. Sur le visage de celui-ci apparaît un mince sourire.

« Il t'a souri ! s'exclame Totomitl. Tu as gagné, Pantli, tu vaincras la malchance de ton signe. »

Mais Pantli redevient sombre et fixe tristement le sol. Lorsqu'on lui présente une deuxième marmite, il secoue la tête et refuse de se nourrir.

« Qu'est-ce qui te prend ? Sers-toi, s'indigne Totomitl. Ce n'est plus notre prisonnier et c'est la première fois que nous mangeons le corps d'un sacrifié. »

Pantli répond d'une voix lugubre.

« C'est à toi que mon père aurait dû sourire. Moi, je n'ai rien fait, je n'ai rien mérité, je me suis laissé emporter par la colère. »

Totomitl se fâche.

« D'abord tu m'énerves de n'être pas heureux. Ensuite tu as mérité quelque chose. Tu as mérité l'amitié, qui est agréable aux dieux, et fort recommandée par ton père. Allez, mange et sois content. »

Pantli hésite un instant, puis se sert abondamment.

Pendant le troisième jour de la fête du dieu de la Pluie, Calmecahua s'en retourne de la colline de la Sauterelle vers sa cité de Tlaxala. Il traverse la lagune en barque, longe des champs et pénètre dans une grande forêt. Il se hâte pour atteindre la cabane aménagée sur la piste des marchands et des guerriers.

La nuit tombe rapidement. Bientôt des pas furtifs bruissent dans les fourrés d'une manière inaccoutumée. Calmecahua ralentit l'allure et avance prudemment car les bruits ne cessent de s'amplifier. Brusquement, une quinzaine de belettes affolées détalent à ses pieds. Le Tlaxaltèque sent l'angoisse envahir son cœur devant ce très mauvais présage. Que peuvent bien fuir ainsi les bêtes de la forêt ? Calmecahua s'arrête, scrutant l'obscurité. Mais il n'aperçoit rien d'inquiétant. Au contraire, le silence est revenu. Plus un seul cri d'oiseau, plus un seul frémissement de feuilles, plus un seul pas de lièvre. Calmecahua s'apprête à reprendre son chemin lorsqu'un gémissement lui fait lever la tête. Sous les branches d'un sapin, une femme au corps de naine, à la longue chevelure blanche, se tord de douleur en poussant des cris lamentables. Par trois fois elle tournoie autour du garçon, par trois fois ses longs cheveux balayent son visage, puis elle disparaît. Calmecahua reste un long moment paralysé de frayeur.

L'apparition d'une femme-fantôme annonce toujours un grand danger.

« Avant de poursuivre mon chemin, je vais consulter un sorcier, songe-t-il. J'irai voir l'homme-hibou du district des Moustiques. On m'a dit qu'il était né sous le signe un-mort, signe extrêmement maléfique, qui donne le pouvoir d'ensorceler les cœurs et de les incliner à sa guise. »

★

La lune est au milieu de sa course, lorsque Calmecahua arrive à l'extrémité sud du district des Moustiques. La maison de l'homme-hibou, construite sur pilotis, est isolée au milieu de marécages à la lourde odeur de vase. Le garçon rame péniblement dans les herbes et les roseaux réveillant les grenouilles qui font de petits bonds effrayés. Calmecahua amarre sa barque à un embarcadère bancal qui grince sous son poids.

« Qui vient ici ? » demande une voix cassée derrière le rideau sale dans l'embrasure de la porte.

Calmecahua grimpe le petit escalier qui mène à la maison surélevée et découvre un vieillard assis sur une vilaine natte. Il a des petits yeux pâles et quelques rares poils gris au menton. Près de lui, trois corbeilles d'osier sont remplies de plantes. Quelques bols ébréchés et des marmites de terre cuite sont posés sur le sol à côté du foyer. L'odeur est un peu écœurante.

L'homme-hibou se frotte les yeux et demande :

« Que veux-tu ?

— Je viens de rencontrer un présage. »

Le sorcier scrute attentivement le visage terrifié du jeune visiteur :

« Comment me paieras-tu ?

— Il y a beaucoup de daims dans les collines qui entourent Tlaxala. Je suis un bon chasseur et je t'apporterai une peau de bête. »

L'homme-hibou paraît satisfait et fait signe au garçon de s'asseoir sur le sol en terre battue.

« Je t'écoute. »

Calmecahua, encore effaré, raconte précipitamment le bruissement des animaux et les longs gémissements de la naine aux cheveux blancs.

L'homme-hibou dodeline de la tête :

« Mon pauvre garçon, nous allons essayer de comprendre ce présage pour lutter contre lui. »

Le sorcier se lève. C'est un homme sec et maigre, au dos voûté, au regard inquisiteur. Il remplit d'eau une large coupelle qu'il pose devant sa natte. Puis il se penche sur un coffre d'osier et farfouille longtemps dans les plantes, les fleurs séchées, et un grand enchevêtrement de cordelettes. Finalement il ressort un panier rempli de graines et un petit cactus desséché. Il se réinstalle alors sur sa natte et, avec lenteur, commence à manger la tête du cactus.

« Qu'est-ce que tu avales ? s'inquiète Calmecahua.

— Du peyotl. »

Calmecahua est intrigué. Il n'a encore jamais vu quelqu'un absorber cette drogue hallucinogène, qui permet de comprendre le destin. On lui a souvent raconté que les Aztèques, lorsqu'ils marchaient dans les grandes plaines désolées du nord, prenaient du peyotl pour supprimer la peur et avoir confiance dans le brillant avenir promis par leur dieu, le Colibri du Sud.

L'homme-hibou ferme les yeux et paraît somnoler puis il déclame :

« J'appelle à mon aide les araignées, les mille-pattes, les serpents, les chauves-souris, les scorpions, pour déchiffrer le malheur qui attend ce garçon. Qu'il daigne m'inspirer, le dieu ! »

Puis il sort du panier des graines vertes qu'il jette dans la coupelle posée devant lui. Les graines flottent sur la surface de l'eau, formant des dessins variables. Calmecahua regarde, fasciné, les graines tourner, se diriger vers le centre, retourner vers la périphérie, puis se mouvoir de plus en plus lentement jusqu'à s'immobiliser complètement.

Le sorcier rouvre des yeux perçants et d'une voix sépulcrale déclare :

« Je vois une fille, une fille qui va mettre ta vie en péril.

— Qui est-ce ? demande Calmecahua en tremblant.

— Je ne distingue pas son nom. Mais je vois qu'elle contribue à l'histoire des Aztèques, oui, elle transforme l'histoire des Aztèques.

— Et alors ?

— Je ne vois plus que des choses confuses, terriblement embrouillées...

— Concentre-toi, je t'en supplie...

— Je vois le mot trahison... la trahison est sur toi... C'est une punition pour trahison... Une fille se vengera de toi parce que tu t'es conduit en traître.

— Xochipil ! » s'exclame Calmecahua.

Puis revenant de sa surprise il s'inquiète :

« Puis-je éviter ce malheur ?

— Les graines de l'herbe-scorpion, dans du jus, dans de l'eau. Là-bas, dans un sac rouge. »

Puis le sorcier s'effondre sur sa natte et s'endort. Calmecahua se précipite pour fouiller fébrilement dans le coffre du sorcier, jette partout les herbes, les cordelettes, les calebasses, et finit par trouver un petit sac de coton rouge qui contient de minuscules graines noires.

Lorsque Calmecahua arrive sur le parvis de la Maison des dieux, des centaines de jeunes guerriers et de courtisanes dansent, à bonne distance les uns des autres. Le Tlaxaltèque se mêle à la foule, et cherche des yeux quelqu'un qui pourrait le renseigner. Près du temple rond du Serpent à plumes[1], en face de la grande pyramide, il

1. Le Serpent à plumes est aussi le dieu du Vent, dont le temple est rond.

découvre Miahualt dans un groupe de courtisanes. En le reconnaissant, la courtisane donne un coup de ses dents rouges dans son bâton de gomme.

« Décidément, tu ne peux pas quitter Mexico ! Je croyais que tu détestais les Mexicains ! »

Calmecahua néglige l'insolence de son interlocutrice.

« J'ai besoin de toi. Connais-tu une fille nommée Xochipil ?

— Je ne suis pas à Mexico depuis longtemps et je suppose qu'il y a beaucoup de Xochipil dans la capitale. Serais-tu tombé amoureux ? Cela ne te ressemble guère. D'ailleurs tu n'as aucune chance. Les Mexicains ont toujours été en guerre avec Tlaxala. »

Calmecahua prend un ton doucereux.

« C'est une fille qui a commis une imprudence et à qui je veux porter secours.

— Je ne peux pas te renseigner. Celle que je connais ne commet aucune imprudence. Elle est extrêmement sage et se destine à écrire l'histoire des Aztèques.

— Alors tu la connais ! s'exclame Calmecahua, soulagé. Dis-moi tout de suite où elle se trouve. »

L'excessive vivacité de son interlocuteur rend Miahualt méfiante.

« Que lui veux-tu ?

— Cela ne te regarde pas.

— Eh bien, adieu », déclare Miahualt en mâchant son bâton de gomme et en se dirigeant vers ses compagnes.

Mais Calmecahua la retient par le bras.

« Dis-moi où elle se trouve.

— Non. C'est une petite très douce, qui n'a rien à faire avec un malotru comme toi. »

Calmecahua se met en colère. Il empoigne les deux mains de Miahualt et les maintient derrière son dos en la poussant vers un chevalet à crâne.

« Dépêche-toi de parler. Je suis pressé. Je dois descendre dans quatre jours dans le pays des Totonaques et auparavant il me faut rencontrer cette fille. Dis-moi où elle se trouve ou bien je te force à embrasser la tête d'un sacrifié. »

Miahualt se met à trembler. Calmecahua ironise :

« Je le savais. Tu crains toujours la mort. Pauvre petite ! Et tu voudrais épouser un guerrier aztèque qui n'a peur de rien. Dis-moi où est Xochipil. »

Miahualt répond avec courage.

« Laisse-moi ou je dirai que tu es un voleur. Les juges mexicains sont très sévères pour les voleurs. »

Calmecahua pousse fermement Miahualt devant

la tête sanguinolente. La jeune fille a un grand spasme nerveux et gémit :

« Dans les champs. Derrière la source de la Tortue de jade. »

Le garçon lâche aussitôt la jeune fille et s'enfuit. Miahualt recule de quelques pas. De longues larmes coulent sur son visage, tandis que la musique joue un air léger et que les jeunes gens et jeunes filles frappent gaiement dans leurs mains. Miahualt pleure de rage et d'humiliation.

« Viens danser », lui dit une voix douce.

Devant elle Totomitl la dévisage en souriant.

« Tu vois, je suis un *iyac* maintenant, je n'ai plus ma mèche. Allez, viens.

— Je ne peux pas, murmure Miahualt. Je suis affreuse avec ces larmes sur mon visage.

— Mais non, cela fait de jolis ruisseaux. C'est parfait pour célébrer le dieu de la Pluie. Il sera content, au contraire. »

★

Calmecahua longe les champs de maïs près desquels se dressent les cabanes de branchages. À quelques pas de chaque cabane, il appelle à voix basse :

« Xochipil ! »

Mais personne n'apparaît sous la clarté de la lune. Le garçon se sent découragé. Décidément, le mauvais sort s'acharne contre lui. À moins que Miahualt lui ait menti. Il arrive enfin près de la dernière cabane, toute proche de la source.

« Xochipil ! »

Une petite fille montre sa tête à la porte et examine le champ bordé d'arbustes. Calmecahua sort de l'ombre.

« Xochipil, j'ai à te parler. »

La petite fille s'alarme :

« Est-il arrivé un malheur à mon père ? À ma grand-mère ?

— Non, non, mais viens près de moi, que personne ne nous entende. »

Prudemment la petite fille s'approche.

« Tu as le visage inquiet, constate-t-elle. Je vois à ta coiffure que tu es de Tlaxala. Des Mexicains t'auraient-ils maltraité ? La loi l'interdit, hors les temps de guerre.

— Ce n'est pas cela. Un danger me menace. Toi seule peux m'aider.

— Moi ? s'étonne Xochipil. Mais je ne suis qu'une humble petite fille qui ne sait rien faire. »

Le calme et la sérénité de son interlocutrice troublent le Tlaxaltèque.

« Donne-moi à boire. Je t'expliquerai ensuite.

— Ma mère dort. Elle n'aime pas être réveillée. Mais il y a une source près d'ici.

— Il faut que tu me donnes à boire dans un bol, que nous buvions dans le même bol. »

Xochipil fronce les sourcils. Calmecahua se fait pathétique.

« Je t'en supplie. J'ai le cœur si tourmenté. Toi, tu es si douce, tu peux me délivrer de mon angoisse.

— Qui t'a envoyé vers moi ? »

Calmecahua hésite un instant puis déclare :

« Le grand prêtre du dieu Serpent à plumes. »

Xochipil se détend, soulagée et confuse.

« Je suis indigne de la confiance du prêtre. Dis-moi ce que je dois faire exactement ?

— Partager avec moi de l'eau ou du jus d'agave. »

Xochipil fronce à nouveau les sourcils.

« C'est une coutume bizarre.

— Pourquoi te fais-tu prier pour aider un malheureux ? supplie Calmecahua.

— Attends », murmure la petite fille déconcertée.

Xochipil regagne sa cabane sans faire de bruit et revient avec un bol d'argile rempli d'eau. Calmecahua dissimule un sourire de triomphe.

« Donne-moi le bol et va cueillir une fleur pour l'offrir au Serpent à plumes. »

Xochipil fait quelques pas lorsqu'on entend des voix pâteuses qui chantent :

« Iiaa, iaa, iaa, aiia, aiio, ooiia, aiia, iio, oiia... »

Calmecahua blêmit. Xochipil le rassure.

« Ne te fais pas de soucis. Ce sont les vieillards qui rentrent de la fête en chantant le cantique des dieux de l'Ivresse[1]. »

Calmecahua recule de quelques pas pour se dissimuler dans l'ombre. Les chants s'éloignent progressivement.

« Excuse-moi, je suis tellement troublé en ce moment », explique-t-il en se retournant pour détacher le petit sac rouge accroché à son pagne.

C'est alors qu'il reçoit de violents coups de bâton à sonnailles sur la tête.

« Qu'est-ce que tu fais là à importuner la petite ! » s'exclame la Huéhué, indignée.

Le garçon protège son visage des coups énergiques qui pleuvent dans un grand bruit de grelot.

« Déshonorer une fille qui ne sait pas voir la malice des cœurs ! »

Profitant d'un bref instant où les coups s'espacent, Calmecahua détale à toute vitesse.

---

1. L'ivresse, interdite et sévèrement punie, est autorisée aux vieillards, ceux qui ont vécu un cycle d'années, c'est-à-dire cinquante-deux ans, à l'occasion de certaines fêtes.

La Huéhué, toujours indignée, se tourne vers sa petite-fille.

« Et toi, as-tu perdu ton bon sens pour te conduire d'une manière aussi extravagante ? Parler toute seule avec un garçon, la nuit, comme une courtisane ! Tu agis comme une petite folle. Pense à tes parents que tu outrages, aux soins qu'ils portent à bien t'éduquer.

— Il faut avoir pitié de ceux qui ont le cœur angoissé, proteste Xochipil.

— Ne te moque pas de moi, ma fille ! Tremble plutôt d'insulter une vieille femme respectable. »

La Huéhué se tait un instant et reprend d'un ton plus calme.

« Que fait ta mère pendant ce temps-là ?

— Elle dort.

— Drôle de mère qui dort quand tu fais des sottises ! »

★

Sur le parvis de la grande pyramide, les jeunes gens, fatigués, abandonnent petit à petit la fête. Totomitl ne quitte plus des yeux Miahualt, qui danse en face de lui avec coquetterie. Un camarade s'approche et lui dit :

« Viens ! Nous rentrons à la Maison des guerriers.

— J'arrive tout de suite.

— Tu ne vas pas partir maintenant ! implore Miahualt. Faisons plutôt une petite promenade. Mais je ne veux pas qu'on te voie à côté de moi. Tu iras en barque et moi à pied. »

Totomitl est fou de bonheur. Maintenant il sait pour toujours que le visage de Miahualt le rend heureux. Non seulement son visage, mais sa voix, ses gestes, son sourire, enfin tout ce que fait la courtisane l'enchante.

Les deux jeunes gens quittent l'enceinte sacrée. Derrière la porte du Miroir au serpent, assis au coin d'une petite place pavée, Pantli joue aux haricots.

« Nous rentrons à la Maison des guerriers, annonce Totomitl.

— J'arrive tout de suite », grogne Pantli, plongé dans son jeu.

Totomitl monte dans une pirogue tandis que Miahualt déambule sur les pavés en mâchant sa gomme. Des terrasses des maisons descendent des odeurs de fleurs. Les jeunes gens avancent en silence, s'adressant, de temps à autre, des sourires complices.

« Tu es très belle, Miahualt. Quand j'aurai vingt ans, je t'épouserai. »

Miahualt lui lance une œillade.

« Je n'épouserai qu'un vaillant guerrier. C'est mon destin.

— Je suis vaillant et je deviendrai capitaine[1].

— Je me déciderai à ce moment-là », répond Miahualt avec un sourire charmant.

Puis elle ajoute :

« Ma mère était une courtisane concubine de plusieurs guerriers. Mais lorsqu'elle est tombée malade, personne n'est venu à son secours. Alors moi, je veux absolument me marier. »

Puis tous deux se laissent porter par un silence heureux accompagné du doux clapotis de la rame dans l'eau. Soudain se rappelant une rencontre odieuse, Totomitl s'indigne :

« Pourquoi parles-tu à ce Tlaxaltèque, Calmecahua ? C'est un traître. »

Miahualt fait claquer ses dents sur la gomme d'un air agacé.

« Je parle à qui je veux. Je sais très bien qu'il est fourbe, mais à Cempoala il m'apportait de la cochenille pour rougir mes dents et de la résine de pin pour me parfumer à l'encens.

— Maintenant c'est moi qui t'en donnerai. Je ne veux plus que tu lui adresses la parole. »

---

1. « Quachic », qui donne cacique.

Miahualt s'arrête, interloquée, et le toise avec humeur.

« Mais, mon compère, je vis comme il me plaît. Crois-tu que je vais obéir à un *iyac* ? »

Totomitl baisse la tête, humilié. Un silence gêné s'installe entre eux. Puis Miahualt éclate de rire.

« Ne fais pas ce triste visage, beau garçon. Tu me donneras des ordres si tu es capitaine, quand tu auras vingt ans. Alors je t'épouserai. »

Totomitl retrouve le bonheur. Tous deux se dirigent vers la grande pyramide de Tlatelolco.

« C'est ici que je vends des fleurs, tous les matins. Tu viendras m'en acheter ?

— Si je peux m'échapper du collège. Sinon j'enverrai ma sœur, Xochipil. »

Les yeux de Miahualt se couvrent de brume.

« Il faut que je m'en aille.

— Tu es fâchée ?

— Non, non. Mais je dois aller voir tout de suite une petite fille qui est peut-être en danger.

— Quoi ? Pourquoi ?

— C'est un secret. »

Et Miahualt part en courant.

★

Après avoir erré en songeant à l'étrangeté de la conduite de la courtisane, Totomitl rentre tard à la Maison des guerriers. Une violente odeur de piment grillé lui chatouille les narines. Un Frère aîné l'attend.

« Où étais-tu ?

— Je me promenais... avec une courtisane.

— Un *iyac* n'a pas le droit de se promener seul avec une courtisane. Suis-moi. »

À genoux devant le brasero où brûlent des piments, Pantli éternue, tousse et ses yeux, gonflés et rouges, pleurent des larmes brûlantes. Totomitl, à son tour, se penche vers l'odeur insupportable. Lorsque le Frère aîné s'éloigne, Pantli explique à voix basse :

« J'ai mis beaucoup de temps à rattraper mes pertes au jeu. Et toi ? Qu'est-ce qu'elle t'a dit ?

— Je dois devenir un grand guerrier pour l'épouser. Aussi je suis content que ce piment m'oblige à maîtriser la douleur. »

Pantli éternue longuement, puis balbutie :

« Uemac m'a appris une grande nouvelle. Les habitants de Cempoala, dans les Terres chaudes, ont refusé de payer l'impôt. Si les négociations échouent, il y aura la guerre. Et cette fois-ci... »

Pantli a les yeux qui brillent.

« Cette fois-ci..., reprend Totomitl.

— Je ferai un prisonnier. Et mon père sourira...

— Et la courtisane sourira, et le vénérable lapin... »

Puis tous deux rient en éternuant violemment.

4

Les caprices de Miahualt

Le père de Totomitl, debout dans une barque, regarde le ciel qui se couvre de coton.

« Les pluies arrivent enfin ! Il est grand temps pour le maïs. »

Puis il lance un seau de bois au fond de la lagune et le relève péniblement. Le seau est rempli d'une vase épaisse que le père répand sur un très grand radeau d'osier.

À la périphérie de Mexico, ils sont une vingtaine de paysans, torse nu, qui étendent la boue sur la plate-forme de joncs.

« Construire les jardins flottants est la corvée que je préfère, déclare l'un.

— Moi, non. L'odeur de la vase est déplaisante, explique le père. Ce que j'aime, c'est travailler dans un palais de notre empereur pour voir passer les grands guerriers. Vous savez que mon fils a fait un prisonnier pendant la Guerre fleurie.

— Tu nous l'as déjà dit vingt fois ! s'exclame un autre. Pourtant les guerriers, s'il n'y avait pas les paysans, ils n'auraient rien à manger.

— Les paysans, s'il n'y avait personne pour nourrir le Soleil, ils ne feraient rien pousser », rétorque un autre.

Le père pose son seau et d'un ton docte déclare :

« Il y aurait beaucoup à dire là-dessus, sur la dignité de tout travail. Et si vous voulez savoir mes pensées, quoique mes paroles soient rudes et grossières, je vous dirai... »

L'attention du père de Totomitl est attirée par un groupe de barques qui se suivent à la queue leu leu.

« Ce sont les jeunes gens du collège de notre quartier, dit-il. Ils rapportent du bois. »

Les paysans regardent la file des rameurs qui se dirigent vers le sud, lorsqu'une barque quitte le groupe en direction de Tlatelolco. Les paysans plaisantent :

« Il y en a un qui ne sait pas ramer !

— Dis plutôt qu'il n'en fait qu'à sa guise !

— Ils sont durs à dresser, les jeunes guerriers ! »

La barque se rapproche du jardin flottant, lorsque le premier paysan déclare :

« Mais c'est ton fils, Totomitl. Sa victoire lui a monté à la tête.

— S'il continue comme cela, il construira, lui aussi, des jardins flottants », constate un autre.

Le père de Totomitl est contrarié.

« Je pense que les enfants, un jour cela vous donne de la satisfaction, un autre de la peine. Ils nous font un cœur qui monte et qui descend, comme lorsqu'on grimpe dans la montagne et puis qu'on dégringole dans la vallée.

— C'est bien parlé.

— Oui, il a bien parlé.

— Parfois, les enfants ont le cœur insensible », conclut un troisième paysan.

Fâché, vexé, peiné, le père de Totomitl, tout en surveillant son fils du coin de l'œil, recommence à puiser la vase.

Totomitl arrive dans le district nord de Mexico et s'impatiente. Les canaux sont encombrés de barques remplies de volailles, de poissons, de produits des Terres chaudes, de peaux de bêtes, d'outils, car c'est jour de grand marché à Tlatelolco. Il amarre sa barque près de la haute pyramide du temple[1] et se dirige vers une vaste place entourée d'arcades. Des milliers de personnes déambulent le long des allées entre lesquelles sont installés vendeurs et marchandises. De petits enfants, au joli corps nu et brun, jouent aux billes avec des noyaux de fruits.

Totomitl traverse d'un pas rapide les allées de maïs blanc, bleu, noir, rouge ou jaune, de haricots, de piments et d'oignons, de dindons et de chiens gras, de vaisselle, de haches de cuivre, de couteaux d'obsidienne. Il examine les vendeuses assises les genoux repliés sur le côté, les adultes portant deux petites cornes sur la tête, les plus jeunes de longs cheveux huilés. Il s'énerve et s'exclame à haute voix :

« Mais où se trouve donc l'allée des fleurs, dans toute cette cohue ! »

Ses voisins se retournent, surpris, lorsque, dans le brouhaha, s'élève une voix claire avec l'accent chantant des Terres chaudes :

« Achetez, achetez mes bouquets pour les vaillants guerriers, achetez mes jolies fleurs pour les nobles seigneurs, femmes, fleurissez vos fils et vos maris, filles, fleurissez vos pères.

« Achetez mes bouquets, ils ne sont pas chers, juste une amande de cacao. »

---

1. Avant d'être annexée par Mexico, Tlatelolco était une ville indépendante avec son enceinte sacrée et son grand temple.

Totomitl se précipite en direction de la voix, lorsque, au croisement de deux allées, il bouscule et renverse un jeune homme qui porte un lourd collier de bois. Immédiatement, acheteurs et vendeurs les entourent et jettent à Totomitl un regard réprobateur.

« Il n'a pas le droit de faire cela, s'indigne le jeune homme au collier de bois en s'adressant au public.

— Tu as raison. Il n'a pas le droit », confirme une femme.

Quatre hommes encadrent Totomitl d'un air menaçant. Le préposé au marché ne tarde pas à arriver.

« Pourquoi empêchais-tu cet esclave de s'enfuir ?

— Je ne lui interdisais rien, explique Totomitl, le rouge au front. Je courais et nous nous sommes heurtés. Je regrette profondément. Je suis sincèrement désolé. Je n'avais pas l'intention de...

— Tu t'expliqueras plus tard. Pour le moment suis-moi jusqu'au tribunal du marché. »

Sous les arcades, trois juges sont assis sur une estrade en bois. Totomitl se tient devant eux, les yeux baissés. Une foule de badauds, heureux de ce divertissement, s'empressent d'accourir.

« Ce garçon a empêché un esclave de s'enfuir », explique le préposé au marché.

Les trois juges hochent gravement la tête.

« Jeune homme, ignores-tu que tout esclave a le

droit de courir jusqu'au palais de l'empereur pour retrouver sa liberté ?

— Je le sais, répond Totomitl, les yeux toujours rivés au sol.

— Alors pourquoi l'en as-tu empêché ?

— Je ne l'empêchais pas, je courais.

— Il s'est jeté sur lui comme un loup sauvage, explique une vendeuse de tabac.

— Il se précipitait comme un fou, insiste un gros vendeur de dindons.

— N'as-tu pas appris à respecter les règles de l'urbanité, en marchant paisiblement ? demande le deuxième juge. De surcroît, je vois que tu es un guerrier. Pourquoi te promènes-tu seul, sans tes compagnons de collège ?

— Je cherchais... je suis venu... je...

— N'aggrave pas ta peine par un mensonge », reprend sévèrement le juge.

Le premier juge est agacé.

« Ne perdons pas notre temps en propos inutiles. La loi est stricte. Toute personne qui empêche un esclave de s'évader devient esclave. »

Totomitl sent son cœur partir ailleurs. L'assistance s'émeut du verdict. Certains spectateurs regardent, apitoyés, le jeune guerrier. D'autres paraissent satisfaits de la sentence. Alors Chimali se pousse au premier rang, et, l'air amusé, annonce :

« Cet esclave appartient à mon père. Il lui rend

sa liberté et ne porte pas plainte contre ce jeune guerrier. Il va venir signer le contrat. »

Totomitl dévisage avec étonnement le garçon aux habits usés et rapiécés. Les trois juges se concertent du regard, puis l'un d'eux déclare.

« S'il en est ainsi, tu peux partir. Mais ne te conduis plus de la sorte. Tu insultes les dieux par ton comportement.

— Je promets à ma mère et à mon père, la Terre et le Soleil, de faire pénitence. »

Humblement, Totomitl s'incline devant les trois juges et, les yeux toujours baissés, suit les talons de son sauveteur. Soudain la voix claire retentit :

« Bravo, Chimali ! »

Totomitl, déconcerté, regarde Miahualt qui s'approche d'eux avec son panier de fleurs.

« Cela aurait été dommage que tu ne puisses partir pour la guerre, vaillant guerrier. »

Totomitl est abasourdi.

« J'étais justement venu pour t'annoncer qu'il y aurait peut-être une guerre.

— Chimali me l'avait déjà dit. Remercie-le plutôt de t'avoir aidé. »

Mais loin d'être reconnaissant, Totomitl est irrité par la complicité de Miahualt avec Chimali.

« Pourquoi connais-tu si bien ce marchand ?

— C'est un marchand-espion. Je l'ai aidé à apprendre notre langue à Cempoala. »

De plus en plus agacé, Totomitl se tourne vers Chimali.

« Alors ce n'est pas pour me rendre service, c'est par amour pour Miahualt que tu m'as délivré ?

— Il ne t'a jamais vu ! Pourquoi voudrais-tu qu'il te rende service », commente Miahualt.

Puis elle prend un air indifférent.

« J'ai faim ! Chimali, donne-moi une amande de cacao pour payer la marchande. »

Elle tend l'amande vers une femme qui fait cuire un ragoût de grenouilles aux haricots sur un petit brasero. Mais Totomitl, la rage au cœur, apostrophe sèchement Chimali.

« Réponds-moi ! Est-ce par amour pour Miahualt que tu m'as délivré ?

— Mange, plutôt, répond le garçon moqueur.

— Je n'ai pas faim et je te pose une question », insiste Totomitl.

Miahualt sourit à Chimali :

« Je t'avais prévenu que c'était un garçon impulsif. Non seulement il renverse ton esclave mais de surcroît, il te cherche querelle. »

Totomitl perd le jugement :

« Vous vous moquez de moi tous les deux ! Que la boue recouvre vos visages ! »

Et il s'enfuit en courant. Chimali rit :

« S'il continue à courir comme un fou, il va renverser un deuxième esclave. Il est vraiment susceptible ! »

Miahualt lui fait une œillade.

« Tout le monde n'est pas né comme toi, sous le signe quatre-singe. Le quatre de l'équilibre et le singe de la gaieté. »

Allongé sur le ventre au bord de la lagune, les mains et les bras attachés, Totomitl est puni de son escapade matinale au marché de Tlatelolco. Il fait nuit et ses compagnons sont partis danser à la Maison de chants. Totomitl songe aux événements de la matinée. Tantôt son cœur bondit de joie en pensant que Miahualt s'est donné la peine de le faire libérer. Tantôt il est exaspéré par tous ces garçons, Calmecahua, Chimali, avec qui elle fait la coquette, et dont elle reçoit des cadeaux. Parfois il est convaincu d'être le seul qu'elle aime véritablement. Parfois il croit qu'elle se moque de lui comme des autres. Ah ! vivement qu'il ait vingt ans et porte un labret et un toupet sur la tête !

Fatigué d'agiter des idées contradictoires, Totomitl écoute le bruit du vent dans les joncs, le bourdonnement des moustiques d'eau et, de temps en temps, le gloussement d'un dindon qui rêve. Depuis longtemps le mugissement des conques a signalé l'heure de se coucher et les rues sont vides. Soudain des flûtes égrènent quelques notes alertes qui accompagnent une chanson :

« Que vienne la danse, que vienne le chant,
que viennent la joie et le plaisir. »

Puis un chœur de voix féminines reprend gaiement le refrain. Surgissent alors une dizaine de pirogues remplies de courtisanes, le visage peint, le cou et les poignets parés de guirlandes de fleurs. Derrière suivent les pirogues des musiciens. Dans la première barque, Chimali rame énergiquement. En apercevant Totomitl, il s'écrie :

« Hé, l'ami ! Ne veux-tu pas venir banqueter chez mon père ? Nous fêtons notre retour des Terres chaudes. Il y aura largement à boire et à manger.

— Et des champignons noirs qui donnent la vision de l'avenir, ajoute une courtisane.

— Ainsi tu verras si tu es destiné à être mon mari ! » s'exclame Miahualt en riant.

Puis elle chante, tandis que les barques s'éloignent :

« Ce soir nous rirons,
les colères s'oublieront,
nos cœurs se réjouiront. »

« Elle se moque de moi, se répète inlassablement Totomitl. Elle me fait avaler des couleuvres, elle m'entortille la tête, elle me tord le cœur, elle me tourne en ridicule, elle me couvre d'ordures. En même temps, elle me rend si heureux. »

Et sur cette contradiction, Totomitl s'endort.

Avant l'aube, c'est le mugissement des conques qui le réveille. Sur le chemin s'avancent deux petits vieux très joyeux qui marchent de travers.

« J'ai rapporté du banquet de quoi manger pour trois jours, dit l'un en montrant sa calebasse remplie de fruits et de galettes.

— J'ai avalé un mauvais champignon. Il m'a fait voir le cinquième soleil tournoyer follement et disparaître dans l'obscurité.

— Tu as vu la fin du monde ? s'inquiète son compagnon. Il faudra que tu en parles au conseil des vieillards.

— Ce n'est pas la peine. C'est certainement une farce des quatre cents lapins[1]. »

Xochipil ouvre les yeux, reconnaît les murs de chaux de sa maison et se réjouit d'être revenue dans le district de la Maison des hérons. Elle avait peur,

1. Les quatre cents lapins sont les dieux de l'Ivresse.

sur la colline, depuis la visite du Tlaxaltèque. Elle noue sa jupe, enfile sa chemise, traverse la cour où s'étire le petit chien sans poil et somnolent les dindons. Dans le jardin domestique, elle cueille une branche d'acacia en fleur et va réveiller ses parents et la Huéhué. Tous trois quittent leur natte, s'approchent de la petite statue d'argile du dieu de la Pluie et élèvent une fleur devant les dieux :

« Ô seigneur bienveillant, seigneur de la végétation et du paradis fleuri, donne l'eau nécessaire à notre terre et à notre vie. Que nos bouches ne soient pas sèches, que nos os n'apparaissent pas sous la peau et que personne ne connaisse l'angoisse de la faim ! »

Puis tous se dirigent vers les trois pierres du foyer. Le père prend un encensoir d'argile avec des grelots, et y ajoute quelques braises pour faire fumer l'encens.

Assise sur l'embarcadère de sa maison, les pieds dans le vide, Xochipil regarde l'aube blanchir au-dessus des volcans. L'animation reprend dans la ville : barques de marchands qui glissent sur le canal, serviteurs qui balayent la poussière des rues, paysans, petits fonctionnaires, artisans qui partent au travail. Les raclements des broyeurs de maïs se répondent de maison en maison.

« Xochipil, appelle sa mère, viens préparer la pâte des galettes pour demain. »

Mais Xochipil ne bouge pas. Dans le canal, les reflets des saules blancs dessinent d'étranges animaux, plus grands que des chevreuils, aux longs museaux bavant d'écume.

« Xochipil, n'attends pas que je t'appelle deux fois et viens en courant. »

La petite fille reste fascinée par la précision et l'étrangeté des animaux qui se tournent lentement pour la dévisager.

« Mais enfin, ma colombe, s'exclame la Huéhué qui arrive sur l'embarcadère, tu restes sans rien faire maintenant !

— Regarde dans le canal. Il y a d'étranges chevreuils qui me regardent. »

La Huéhué se penche.

« Je vois le reflet des saules, comme d'habitude.

— Rien d'autre ? »

La Huéhué examine sa petite-fille avec attention.

« Tu trembles. Tu es en train d'attraper un air de maladie. Va prendre un bain de vapeur. Je ferai moi-même la pâte pour les galettes. »

Toutes deux rentrent dans la cour. Xochipil fronce les sourcils.

« Les chevreuils m'ont fait peur.

— La vie demande des efforts, ma tourterelle. Tu dois lutter contre l'inquiétude et l'imagination. Après un bon bain, tes chevreuils auront disparu. »

Le bain de vapeur est un cabanon de pierre. Contre un mur, Xochipil allume un feu. Lorsque celui-ci crépite, la petite fille va cueillir une branche de saule et remplit une jarre d'eau.

À l'intérieur du cabanon, elle jette l'eau froide sur le mur bouillant. Une délicieuse fumée chaude remplit la minuscule pièce, détend son corps, rassure son âme. Pourquoi est-elle si sensible, si inquiète pour la moindre chose ? Elle voudrait tant avoir la fermeté de cœur de la Huéhué, son pas tranquille et assuré. Pour se donner du courage, elle se fouette le corps avec la branche de saule et murmure :

« Je suis destinée, sans crainte ni repos, à te servir, Serpent à plumes. »

Soulagée, elle sort dans la cour. Un reste d'anxiété la conduit vers l'embarcadère. Lorsqu'elle atteint le canal, elle pousse un cri : les grands chevreuils, à nouveau, la regardent fixement.

L'oiseau-quetzal, sur la bosse d'Uemac, surveille d'un air attentif dix enfants assis dans la Maison des oiseaux. Uemac leur présente cinq boucliers ronds et demande :

« Mes chers enfants, comment ai-je créé ces boucliers ? »

Les réponses fusent en même temps :

« En dialoguant avec ton cœur.

— En dessinant ton propre cœur.

— En parlant avec les dieux. »

L'oiseau-quetzal pousse un cri satisfait. Uemac pose une question plus difficile :

« Comment peut-on en même temps dialoguer avec son cœur et parler avec les dieux ? »

Les enfants font des petites moues perplexes. L'un commence à se distraire en tapant le sol avec ses doigts, l'autre en examinant les volières.

« Je répète : comment peut-on en même temps dialoguer avec son cœur et parler avec les dieux ?

— En ayant dieu au fond du cœur, déclare Xochipil en pénétrant dans la Maison des oiseaux. J'ai quelque chose d'important à te dire, ajoute-t-elle à voix basse.

— Après la leçon. Je dois d'abord aider ces enfants à se faire un visage et un cœur. »

Puis s'adressant à son auditoire, il explique :

« Les quatre premiers boucliers représentent les quatre premiers mondes, que nous appelons les quatre premiers soleils. Ils furent créés puis détruits. Le premier monde est le soleil du tigre : ceux qui vécurent dans ce premier soleil furent dévorés par les tigres et le soleil fut anéanti. Le deuxième monde est le soleil du vent qui changea les hommes en singes et le soleil fut emporté. Quant au troisième monde, le soleil de pluie, il s'est éteint sous les éclairs et la foudre lorsque le soleil a pris feu. À la fin du quatrième monde, le soleil de l'eau, l'univers entier fut noyé. Quant à notre soleil, le soleil du mouvement... »

Gongs et tambours signalent le milieu de la matinée. Sans écouter davantage, les enfants sortent en courant devant Uemac stupéfait.

« Que veux-tu, ils ont faim, explique Xochipil. C'est l'heure du premier repas de la journée. »

Xochipil reprend son air soucieux.

« Uemac, mon véritable ami, mon cœur n'est plus tranquille. J'ai vu dans le canal de grands chevreuils qui me regardaient fixement.

— Pauvre petite, tu as le cœur aussi léger qu'une plume de héron qui tournoie de la lumière à l'ombre. Un rien te rend triste. Un rien t'illumine. Allez, ma tourterelle, mets donc une jolie petite plume et souris.

— Mon ami précieux, je t'assure que j'ai vu de grands chevreuils qui... »

Uemac l'interrompt brusquement.

« Si je m'inquiétais de tout ce que j'entends, je serais écrasé sous une montagne de soucis. L'un a vu sur la mer divine des canots géants avec des ailes, un autre des hommes vêtus de pierre, un autre des dieux à la peau blanche. Quant à notre empereur, tous les jours il se tourmente. »

Prenant la petite fille par le menton, il explique :

« Ma petite fleur de maïs grillé, il faut prendre du plaisir à vivre sur la terre. Nous ne reviendrons pas une seconde fois. Fais comme moi : je bois du cacao et ce m'est grande joie. J'écoute les oiseaux et tout me paraît beau. Regarde : c'est un miracle ce monde qui nous entoure. Allez, viens avec moi aux cuisines. Tu n'as encore rien mangé. »

Puis il ajoute en riant :

« Et surtout ne te mets pas à dessiner tes bizarres chevreuils. Les prêtres n'accepteraient pas au temple du Serpent à plumes une fille aussi déraisonnable. »

Le soir, dans la Maison de chants, Pantli danse distraitement. Il cherche en vain de grands yeux couleur d'obsidienne et ne trouve en face de lui que les visages bruns, lisses et bien lavés des jeunes filles aztèques.

Dès que gongs et conques sonnent l'heure d'aller se coucher, elles s'en vont, accompagnées de quelques chères vieilles, et sont remplacées par des courtisanes bavardes comme des oiseaux. Enfin

Miahualt apparaît. Pantli s'avance pour danser en face d'elle.

« Sorcière !

— Est-ce à moi que tu t'adresses ? D'ailleurs qui es-tu ? Comment t'appelles-tu ?

— À cause de toi, il a de graves ennuis.

— Ah ! répond nonchalamment la courtisane. Tu me parles de Totomitl.

— Oui, je te parle de mon ami.

— Ton ami n'a rien à me reprocher. J'ai plutôt le souvenir de l'avoir sauvé des juges du marché. Et puis cesse de vouloir me faire peur avec tes gros yeux furieux.

— Tu lui as porté malheur. Le Frère aîné lui a interdit de partir faire la guerre à Cempoala. Il trouve qu'il perd le jugement à cause de toi. »

Miahualt soupire.

« Ce n'est pas ma faute si je lui plais ! »

Pantli a du mal à maîtriser sa colère.

« Tu as une cervelle de poisson. Si Totomitl ne fait pas la guerre, il ne fera pas de prisonnier. Et s'il ne fait pas de prisonnier, il sera paysan. »

Miahualt prend un air songeur et mâche activement sa gomme pour mieux réfléchir. Puis elle demande :

« Où se trouve le Frère ?

— Là.

— Qu'est-ce qui l'amuse ? »

Pantli ne peut s'empêcher de sourire.

« Il est comme moi. Il aime jouer aux haricots.

— Alors, promets-moi de ne plus parler de la soirée sans mon autorisation.

— Pourquoi ?

— Ce que vous êtes agaçants, ton ami et toi, à demander sans cesse des explications ! Promets, c'est tout. »

Pantli hésite un moment, puis se décide :

« Je le promets.

— Mange la terre, ordonne Miahualt, afin que je croie tes paroles. »

Pantli se baisse, met un doigt dans la poussière et le porte à ses lèvres. Miahualt paraît satisfaite et se déplace gracieusement pour se retrouver en face du Frère aîné à qui elle envoie une œillade provocante.

Un peu plus tard, Pantli déroule sur le sol, devant la Maison de chants, une natte sur laquelle est marquée, avec du caoutchouc fondu, une croix contenant cinquante-deux cases. Puis il donne comme pions six petites pierres bleues à Miahualt, et six petites pierres rouges au Frère aîné.

« Qu'est-ce qu'on joue ? demande le guerrier.

— On joue un secret. Nous le dirons chacun à l'oreille de Pantli. »

Le Frère aîné paraît contrarié mais ne résiste pas au sourire de la jeune fille. Il chuchote son secret à Pantli. Miahualt chuchote le sien. Le Frère aîné, soupçonneux, s'adresse à Pantli.

« Jure que tu ne transformeras pas nos paroles. »

Pantli interroge du regard Miahualt qui lui fait signe de parler.

« Ainsi en sont témoins le soleil et la terre », dit-il en mettant à nouveau un doigt dans la poussière puis sur ses lèvres.

Il donne à la courtisane les quatre gros haricots, marqués de petits trous, qui servent de dés. Miahualt lance les haricots la première, puis c'est au tour du Frère aîné. Miahualt a une façon de jouer bien particulière. Chaque fois que le chiffre du haricot ne lui convient pas, elle adresse un grand sourire à son adversaire, bat des paupières, fait ondoyer ses cheveux noirs de fumée, et tandis qu'il la regarde, surpris, d'une main preste, elle retourne les haricots. Pantli est indigné d'une tricherie aussi éhontée, mais se tait à cause de sa promesse. Le Frère aîné, séduit, troublé, ne comprend pas très bien comment Miahualt arrive si rapidement à mettre toutes ses pierres bleues dans la case d'arrivée.

« J'ai gagné », dit-elle en montrant ses dents rouges.

Puis, d'un ton négligent, elle ajoute :

« Qu'est-ce que j'avais parié, déjà, Pantli ? Je ne m'en souviens plus.

— Tu as parié que Totomitl partirait pour Cempoala si la guerre était déclarée. »

Le Frère aîné est interloqué et songe : « Je ne sais pas comment, mais cette courtisane s'est moquée de moi. »

Cependant, beau joueur, il ajoute :

« C'est promis. S'il y a la guerre, il partira. »

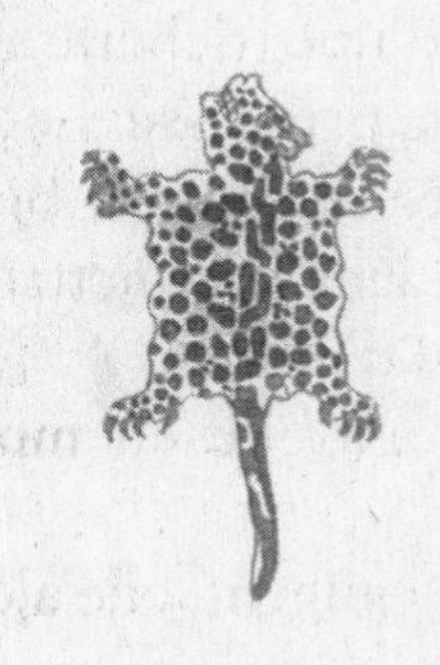

5

Surprises dans les Terres chaudes

Les prêtres du destin ont choisi un jour un-chien pour le départ de l'armée vers les Terres chaudes. À l'intérieur de la muraille crénelée, les chefs de guerre brandissent leurs étendards. Ils portent sur le dos, comme ornement distinctif, des cages de roseaux surmontées de plumes ou de papiers.

Lorsque l'Aigle se lève au-dessus des volcans et que résonnent conques et tambours, l'empereur Moctezuma apparaît sur une litière d'or richement décorée de fleurs et de plumes. Son manteau est turquoise, couleur qui lui est réservée, et il brandit son bâton en forme de serpent. La foule s'agenouille et mange la terre.

Pantli observe son père qui porte la litière avec les trois autres grands dignitaires de l'armée. Il ressent pour ce visage austère, ce regard aigu, cette silhouette raide, un mélange de crainte et de vénération.

« Je ferai pénitence jour et nuit pour ramener un prisonnier, afin que mon père soit fier de moi », décide-t-il.

Moctezuma monte l'escalier de la grande pyramide, suivi par des prêtres couleur de cendre, portant des offrandes et des cages d'oiseaux. Il a une quarantaine d'années, un corps mince et élancé, les cheveux coupés en dessous des oreilles et une petite barbe noire. Il monte de plus en plus lentement les cent vingt marches du temple.

« Il est vite essoufflé », remarque Totomitl d'un ton narquois.

Pantli lui jette un regard noir.

« Ne te moque pas de notre empereur bien-aimé.

— Et toi, ne te prends pas pour un Frère aîné, rétorque Totomitl avec humeur. Tu sais qui vient avec nous pour espionner Cempoala avant que nous attaquions la ville ?

— Non.

— Chimali, le marchand-espion, celui qui m'a aidé au marché de Tlatelolco.

— L'ami de Miahualt ?

— Je ne suis plus jaloux. J'ai parlé avec lui, hier,

près de la Maison de chants. Ce sera un joyeux compagnon. Il aime rire et s'amuser.

— Nous ne partons pas pour nous amuser, remarque Pantli, d'un ton de reproche.

— Ce que tu es désagréable aujourd'hui ! »

Devant la statue du dieu du Soleil, l'empereur dépose les tissus, les fruits, les bijoux que lui présentent les prêtres. Puis il s'empare d'un couteau d'obsidienne et tranche, un à un, le cou de quarante cailles qui poussent des cris affolés.

Lorsque le sang a inondé les marches de la Maison du dieu, Moctezuma se tourne vers la foule et déclare d'une voix très lointaine :

« Ô, toi, notre père et notre mère le Soleil, fais que tous, guerriers-aigles, guerriers-jaguars, *iyac*, *tequia*, capitaines, soient méritants. Que cette guerre sacrée montre aux Totonaques de Cempoala la puissance de notre dieu, le Colibri du Sud. »

Aussitôt les chanteurs entonnent un hymne de guerre que rythment les carapaces de tortue, hommes et femmes poussent des cris en tapotant sur leurs lèvres. Enfin, les trompettes sonnent et les guerriers se dirigent vers le sud sous les fleurs jetées par la foule.

★

Les guerriers marchent l'un derrière l'autre le long des pistes. Les pentes sont glissantes car la pluie a transformé en boue la poussière accumulée pendant l'hiver. Pantli avance, concentré sur l'ambitieux projet de faire sourire son père. Derrière lui, Totomitl se distrait en observant les paysans qui récoltent la résine, les pécaris sauvages qui fouinent le sol. Il jette un coup d'œil à Chimali qui montre le chemin, en tête du convoi, ou se retourne pour admirer Celui-qui-commande-les-guerriers. Vêtu d'une tunique et d'une jupe de plumes, il tient à la main le bouclier à sept plumes d'aigle, emblème de Tenochtitlan, et porte sur les épaules un étendard fixé sur un encombrant cadre de bois. Le nez toujours en l'air, Totomitl dérape sur le large dos de son ami.

« Fais donc attention ! grogne Pantli. Je ne suis pas un polochon.

— Pourquoi es-tu sinistre depuis le départ ?

— Je me maîtrise.

— Tu fais quoi ?

— Je m'exerce à la maîtrise de moi-même, afin de ne pas m'énerver et de ramener un prisonnier. »

Totomitl se moque de lui :

« Alors je déraperai sur ton dos le plus souvent possible afin que tu t'habitues à supporter patiemment les affronts.

— Tu n'es pas drôle ! »

Privé de la conversation de son ami, Totomitl se laisse aller à des rêveries sur ses prochaines victoires.

À la mi-journée, il lève la tête et cligne les paupières jusqu'à ce qu'il aperçoive les femmes ressuscitées[1]. Habillées de plumes et de coton brodé, elles s'approchent des guerriers. Lorsque le Soleil, qu'ils tiennent entre leurs mains, est au milieu du ciel, ils le confient aux femmes vaillantes. Celles-ci le déposent dans un palanquin de plumes vertes pour l'accompagner jusqu'au couchant en poussant des cris de guerre.

Quelques jours plus tard, dans la forêt tropicale, il fait chaud, lourd et humide. Les guerriers transpirent sous leur armure de coton, et s'embourbent dans les marécages. Pantli se donne de grandes claques sur les jambes :

« Maudites bestioles, vous n'aurez pas ma peau. Je vous tuerai et vous jetterai dans cette pourriture.

— Pantli, intervient Totomitl, supporte les insultes sans te venger, même les insultes des moustiques. »

Pantli s'efforce de garder son calme.

« C'est entendu, je n'écraserai plus ces petites

1. Les femmes ressuscitées qui accompagnent le Soleil, de midi au couchant, sont les femmes mortes en accouchant ; les femmes vaillantes.

bêtes. Aussi je te prie, aimablement, de me débarrasser de celle-ci. »

Et il tend son pied droit auquel est agrippé un long ver marron.

Totomitl le frappe d'un revers de main, mais le ver se cramponne. Pantli a un rictus de douleur.

« Je te fais remarquer, commente tranquillement Pantli, que cet animal me fait cruellement souffrir lorsque tu tentes de l'enlever.

— N'exagère pas ! »

Totomitl tente à nouveau d'arracher le ver qui résiste. Son ami reste serein :

« As-tu décidé de laisser toute la journée cette larve vorace sur ma cheville ?

— Je ne le fais pas exprès ! Je n'ai jamais vu de bestiole aussi entêtée ! »

Puis il part comme une flèche en criant :

« Je vais demander à Chimali. Il connaît bien la région. »

Pantli s'adresse à la petite bête :

« Vois-tu, infâme créature, je ne réponds pas à ton insulte et accepte avec douceur les tourments que m'envoient les dieux par ton intermédiaire. »

Totomitl revient aussi vite qu'il est parti.

« Montre ta cheville.

— Qu'est-ce que tu vas faire ?

— Chimali, en bon marchand-espion, a deviné

qu'il s'agit d'une sangsue. Il faut endormir ta bestiole avec du sel. »

Sous l'effet des petits grains blancs, le ver se rétracte et tombe sur le sol.

« Je ne me vengerai pas et ne la tuerai pas », déclare Pantli, toujours serein.

Totomitl rit et écrase la larve du talon.

★

Des feux sont allumés pour éloigner les animaux. Sur un monticule bien sec, les guerriers dorment par terre. Seul Pantli n'a pas sommeil. Il déteste cette humidité poisseuse, ces arbres touffus, ce grouillement ininterrompu des bêtes. Tout en arpentant de long en large le campement, depuis les tentes décorées des chefs jusqu'aux humbles porteurs, il s'inquiète pour le prochain combat et va secouer Totomitl par l'épaule.

« C'est moi, Pantli.

— Laisse-moi dormir ! Pourquoi n'es-tu jamais fatigué ?

— C'est important. Qu'est-ce qui pourrait m'énerver chez les Totonaques, à part les moustiques, les sangsues et la chaleur ?

— Rien, répond Totomitl, boudeur.

— Mais réfléchis, s'indigne Pantli. Je dois tout

envisager pour garder mon sang-froid dans n'importe quelle circonstance.

— Trouve quelqu'un qui n'a pas sommeil et joue aux haricots. »

Totomitl se retourne et cache son visage avec un pan de son manteau.

Pantli sent une grande tristesse l'envahir. Pourquoi Totomitl lui conseille-t-il de jouer aux haricots alors qu'il sait pertinemment que ce jeu lui fait perdre son sang-froid. Est-ce là le conseil d'un ami ? Il se sent désespérément solitaire pour lutter contre son destin.

« Seuls les dieux peuvent m'aider », se dit-il.

Et, avec son couteau de silex, il fait saigner ses jambes.

★

Lorsque l'aube apparaît, Chimali se tient les yeux baissés devant Celui-qui-commande-les-guerriers.

« Combien de temps mettras-tu pour arriver à Cempoala ?

— Une petite journée. J'arriverai au crépuscule.

— Tu repéreras l'état de préparation des guerriers et te renseigneras sur le sort du percepteur des impôts. Puis tu discuteras avec les habitants pour connaître leurs pensées. Sois de retour demain, dans la nuit. Je n'ai rien d'autre à dire. »

Chimali est heureux de jouer la « souris[1] ». Il passe de la graisse de tortue sur sa peau pour la faire briller comme celle d'un Totonaque, enlève ses sandales et part gaiement. C'est la première fois qu'il descend seul dans les Terres chaudes, et il a envie de profiter de sa liberté. De-ci, de-là, il apostrophe les paysans afin de s'assurer de la perfection de son accent totonaque.

Vers le milieu de l'après-midi, le relief devient plus escarpé avec de hautes falaises claires. Puis, au sommet d'un rocher, brillantes de blancheur, apparaissent les maisons de Cempoala. En montant vers la ville, Chimali perçoit de la musique et des chants. L'atmosphère est à la fête. Les vénérables vieillards, assis sur des nattes dans les rues, fument la pipe, les petits enfants nus courent et crient dans les ruelles. Devant la pyramide du temple dansent les jeunes gens. Les filles, la poitrine découverte, les bras tatoués, de longues guirlandes de fleurs autour du cou, se déplacent avec une nonchalance ignorée sur les hauts plateaux. L'odeur d'encens et de fleurs, la musique, la douceur qui suit les journées chaudes, montent à la tête de Chimali.

« Je vais danser, se dit-il. Juste un petit moment. Pour une fois que mon père n'est pas là. »

Et il se mêle aux sarabandes, révérences, cercles

1. La « souris » est un espion, emploi tenu par les négociants.

des jeunes gens. Tandis qu'il s'abandonne au plaisir de la danse, une jeune fille l'examine attentivement et se penche vers sa voisine :

« Ne reconnais-tu pas ce garçon ? Nous lui avons acheté cet hiver de la teinture de cochenille. Il était avec un négociant de Mexico.

— Je le reconnais, moi aussi », dit la voisine qui se penche vers une autre jeune fille.

Les propos chuchotés vont de bouche à oreille pendant que Chimali tape énergiquement de ses deux pieds pour marquer le rythme, remue ses bras, ses hanches, sa tête. Soudain, il se retrouve seul, entouré d'un cercle de jeunes filles en fleurs, doublé d'un deuxième cercle de garçons menaçants.

« Hé ! la souris, dit l'une, tu viens de Mexico ? »

Chimali s'indigne aussitôt :

« Moi ! Mexicain ! Tu te trompes certainement de visage !

— Alors dis-nous qui sont tes parents et où ils habitent.

— Mes parents demeurent dans le village des lianes rousses.

— Moi aussi, je suis du village des lianes rousses, s'exclame une autre fille, et je ne t'ai jamais rencontré !

— C'est que tu regardes trop ton nez en marchant », répond Chimali, imperturbable.

Certains rient. L'aplomb du jeune marchand fait

hésiter l'assistance. Profitant de son avantage, Chimali ajoute :

« La peur vous fait voir des Mexicains partout ! Ils ne sont pas si redoutables ! Profitez plutôt de la joie du moment ! »

Les jeunes gens s'apprêtent à retourner à leur danse, lorsque la première jeune fille rétorque :

« Alors dis : À bas les Mexicains ! Que nos dieux nous donnent la force de vaincre le dieu du Soleil ! »

Chimali hésite devant un tel blasphème. Cet embarras suffit à retourner la foule qui vocifère :

« À bas la souris !

— À mort l'espion !

— À mort le Mexicain ! »

Chimali s'écrie :

« Mais qu'est-ce qui vous prend ? Je suis Totonaque. »

Et il hurle en répétant :

« Je suis Totonaque ! Vous voyez bien que je suis Totonaque. »

Mais la foule se resserre autour de lui. Chimali pense à s'échapper, mais déjà deux gendarmes le saisissent par les épaules.

« Avance, Mexicain, dit l'un.

— Où m'emmenez-vous ?

— Retrouver un traître comme toi. »

Près du palais du roi, dans une cage en bois, se trouve un Mexicain dodu, aux joues pleines et au regard craintif, qui accueille avec satisfaction le nouveau venu.

« Je suis bien content que tu sois là.

— Je t'en remercie, répond Chimali qui ne partage guère la joie de son interlocuteur, mais je préférerais être ailleurs. Es-tu le percepteur des impôts ?

— Hélas, oui ! Je suis seul dans cette cage depuis de longs mois, affreusement seul. J'ai peur. Je ne suis pas un guerrier ou un marchand-espion, préparé au sacrifice. Je ne suis qu'un simple fonctionnaire. Pourtant, dans trois jours, ils feront une fête pour leur dieu et je monterai en haut de la pyramide. Quelle angoisse ! Ce couteau d'obsidienne me terrifie. Pourquoi le destin est-il si dur avec moi ? »

Et constatant que Chimali ne semble pas comprendre le danger qui le menace, il précise :

« Toi aussi, tu seras sacrifié ! »

Un serviteur apporte deux bols de terre cuite remplis d'un ragoût de chien au piment.

« Ils me font manger toute la journée », geint le percepteur.

Chimali est exaspéré par les lamentations de son voisin. Et, convaincu que son signe le destine à avoir de la chance, il répond effrontément :

« Moi j'ai faim, et cette sauce sent très bon. Comme dit la chanson : nous ne reviendrons pas une deuxième fois sur la terre. Alors profitons de la vie jusqu'au dernier moment. »

Et il plonge ses trois doigts dans le bol sous les yeux ahuris du percepteur.

Non loin de là, dans une ruelle obscure, Calmecahua, courbé sous un sac retenu par un bandeau sur le front, entre dans une étroite boutique faiblement éclairée par une torche de pin. L'endroit regorge de marchandises empilées dans le plus grand désordre. Dans l'unique espace libre, un homme est assis. Il a le front long et étroit, les yeux qui louchent et le nez allongé des Mayas. Il fume un rouleau de tabac dont la fumée obscurcit davantage la petite boutique. Calmecahua s'incline devant le vieux Maya impassible.

« As-tu le sel et l'or que je t'ai demandés cet hiver ? »

L'homme tire sur sa pipe et demande :

« Personne ne t'a vu ?

— Non.

— En venant, n'as-tu pas rencontré de Mexicains ?

— Je connais une vieille piste qui n'est plus utilisée. »

Le Maya réfléchit en silence.

« Je t'ai apporté les peaux de daim, comme je te l'avais promis », insiste Calmecahua.

Et il pose par terre son sac à dos. Le Maya s'exprime enfin.

« J'ai rêvé de la vengeance des Mexicains. Ils brûlaient ma maison parce que j'avais vendu du sel et de l'or à leurs ennemis.

— Vieillard, dit Calmecahua d'une voix doucereuse, les Mexicains ne domineront plus longtemps les Terres chaudes et le plateau de Mexico. »

Le Maya paraît surpris. Calmecahua s'explique :

« Au-dessus de la montagne de Tlaxala, on a vu un tourbillon de poussière, si large et si haut qu'il montait jusqu'aux nuages. Et les devins ont prédit que les dieux allaient descendre du ciel pour détruire le peuple du Soleil. »

Le Maya reste perplexe.

« Je te jure que je dis la vérité, dit Calmecahua en mangeant la terre.

— Alors reviens demain, avant l'aube. Je cacherai le sel et l'or dans un ballot de coton. »

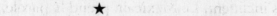

Pantli guette impatiemment le retour de Chimali. La nuit est tombée depuis longtemps et les moustiques s'acharnent sur les hommes endormis. L'attente, l'inquiétude, ses fréquentes pénitences l'ont rendu très nerveux. Pourvu que l'attaque ne soit pas repoussée à cause du retard du marchand-espion ! Sinon il finira par hurler pour se libérer d'un effort trop prolongé.

Heureusement, lorsque le jour apparaît, les ordres se répercutent des chefs aux plus humbles guerriers. Les prêtres-devins ont décidé qu'il fallait attaquer Cempoala. Avec une rapidité stupéfiante, les tentes sont rangées, les hommes prêts à partir.

Lorsque l'armée se trouve à une heure de marche de la ville totonaque, l'ambassadeur mexicain, vêtu sobrement d'un court manteau blanc, le corps peint en noir à l'exception du visage, portant le bâton et l'éventail de sa fonction, se dirige seul vers la ville insoumise. Près de Cempoala, il enlève ses sandales et pénètre dans la cité. Les tambours préviennent de son arrivée. Peu de temps après, un ambassadeur totonaque s'avance à sa rencontre. Tous deux s'inclinent. Le Mexicain prend la parole.

« Je viens demander que ta ville paye le tribut qu'elle doit à l'empereur des Aztèques et délivre le percepteur des impôts, s'il est encore en vie.

— Nous refusons de payer un tribut exorbitant et nous voulons reprendre notre indépendance. Les dieux sont avec nous. Ils annoncent la prochaine défaite de Mexico-Tenochtitlan.

— Alors, que le destin décide à quel dieu appartient la victoire ! répond l'ambassadeur. Nous t'enverrons des boucliers et des glaives pour qu'on ne puisse jamais dire que vous avez été vaincus par trahison. Nous attaquerons demain matin.

— Demain est la fête de notre dieu. Ne peux-tu repousser le combat d'un jour ?

— Non. Le prêtre-devin a décidé que nous devions attaquer un jour trois-singe. Je n'ai rien d'autre à dire. »

Cempoala, sur son rocher, est difficile à prendre. Celui-qui-commande-les-guerriers décide de diviser l'attaque. Totomitl part avec les patrouilles légères qui grimperont sur les escarpements afin d'assaillir l'ennemi par surprise. Pantli reste avec le gros de l'armée qui s'avance sur le large chemin. Impassibles sous les flèches, protégés par leurs boucliers de roseaux, les guerriers valeureux montent au son du tambour et des trompettes. À mi-chemin, des cris de surprise et d'effroi leur parviennent.

« Les patrouilles ont réussi, crie un Frère aîné. Elles sont entrées dans la ville. »

La musique devient plus rapide, les guerriers avancent au petit trot.

Dans les rues, les corps-à-corps sont violents. Pantli lutte contre un Totonaque dont il brise rapidement la jambe d'un coup d'épée. Le vaincu s'écroule en gémissant. Pantli s'installe sur son ventre et lui sourit :

« Réjouis-toi, mon fils bien-aimé, tu vas connaître la mort heureuse au sommet de la pyramide. »

Le Totonaque reste muet.

« Mais réponds-moi, insiste Pantli. Appelle-moi ton père vénéré. »

Le Totonaque paraît hébété. Pantli se fait convaincant.

« Tu es mon prisonnier. Alors conduis-toi comme un futur sacrifié obéissant. »

Près de lui résonne un grand rire.

« C'est le grand balourd qui laisse toujours échapper ses ennemis ! »

Dès qu'il reconnaît Calmecahua, Pantli s'efforce de rendre son cœur insensible comme une pierre. Le Tlaxaltèque continue de crier :

« Tu ne feras jamais un prisonnier. C'est écrit dans le livre des destins. »

Pantli, pour garder son calme malgré les insultes, ferme ses yeux et ses oreilles. Il prie :

« Ô dieux tout-puissants, que mon cœur reste patient et serein ! Protégez-moi contre tout emportement. J'ai tant attendu le bonheur de vous offrir l'eau précieuse[1]. »

En le voyant si paisible, si tranquille, comme endormi sur son prisonnier, trois guerriers de Cempoala se réjouissent de l'aubaine.

« Celui-là sera facile à capturer !

— Il semble à moitié mort ! »

Tous trois s'approchent de Pantli et le saisissent par les épaules. Mais à peine ont-ils touché le Mexicain que celui-ci se transforme en bête furieuse. L'un reçoit un coup à la mâchoire, l'autre au ventre, le troisième est brutalement soulevé de terre sur laquelle il retombe en criant. Si rapide que soit le combat, il laisse au prisonnier le temps de déguerpir.

« Je t'avais prévenu ! » s'esclaffe Calmecahua.

Il ne finit pas sa phrase car Pantli court vers lui, laissant la colère enflammer son cœur :

« Je te transformerai en bouillie, je te donnerai à manger aux léopards et tu iras mourir dans l'enfer glacé du Nord, tu traverseras des tourbillons de poussière, de l'eau gelée... »

Calmecahua, agile, descend le piton rocheux, traverse les champs et se dirige vers la forêt tropicale, toute proche. Il se déplace facilement dans les ruisseaux enfouis sous les fougères, grimpe aisément les

---

1. L'eau précieuse signifie le sang.

talus glissants de boue et de feuilles pourries, saute par-dessus les grosses racines qui serpentent sur le sol. Pantli, peu habitué à cet environnement, patauge, dérape, s'étale. Soudain Calmecahua s'accroche à une longue liane, se balance et disparaît dans une épaisse frondaison de branchages. Pantli se retrouve seul.

★

Totomitl court délivrer Chimali et le percepteur des impôts.

« J'ai pris trois prisonniers, déclare le jeune guerrier triomphant. Je serai *tequia*, je recevrai une part du tribut, j'épouserai Miahualt...

— Et moi, j'ai mangé dans cette cage un délicieux petit chien, rétorque Chimali.

— Comment t'es-tu fait prendre ?

— Oh !... Je te raconterai plus tard, répond Chimali d'un ton désinvolte.

— À plus tard. Je vais m'occuper du dieu. »

Sur la pyramide du grand temple, aidé d'une dizaine de guerriers, Totomitl repousse les prêtres qui l'empêchent de monter. Dès qu'il arrive au sommet, il prend sur un brasero des branches embrasées et les jette dans le temple. Aussitôt les décorations de feuillages, de fleurs et de tissus brodés brûlent autour de la statue en bois du dieu, vite attaquée par les flammes.

Pour la première fois de sa vie au sommet d'une pyramide, Totomitl connaît un moment d'exaltation. À ses pieds, les hommes s'agitent comme des fourmis. Au-dessus de lui brille son père le Soleil. Oui, la vie est bien cette montée vers l'astre flamboyant, cette attente de retrouver, par la mort glorieuse des batailles, l'Aigle qui donne vie à l'univers.

Devant la victoire du dieu du Soleil, les combats s'arrêtent et les habitants préparent une salle pour recevoir leurs vainqueurs. Ils balaient soigneusement, décorent les murs de branches et de fleurs, couvrent le sol de nattes de plumes et de peaux de jaguars, et apportent des jarres de cacao, des galettes, des fruits. Lorsque tout est prêt, les chefs mexicains et le percepteur des impôts s'avancent, vêtus de leurs riches costumes, une fleur à la main, regardant à peine les Totonaques qui s'inclinent. Lorsque les vainqueurs sont assis sur les nattes, les chefs totonaques se jettent à leurs pieds, les mains croisées sur la poitrine :

« Nous avons eu tort. Nous confessons notre erreur. Épargnez-nous. Nous demandons à être admis sous la protection de vos dieux et de l'empereur.

— Puisque vous reconnaissez la suprématie du dieu du Soleil et de Mexico, nous vous autorisons à garder votre langue, vos coutumes et vos rites, à condition que vous vous battiez toujours sous les ordres de l'empereur et que vous payiez l'impôt. »

Un chef totonaque s'incline à nouveau et dit :

« Voilà ce que nous t'offrons. Dix colliers de perles de jade, deux mille quatre cents bouquets de plumes aux riches couleurs, quarante peaux de léopards, deux cents sacs de graines de cacao, huit cents tasses pour boire le cacao, mille deux cents balles de coton, vingt sacs de plumes de duvet blanc, quatre cents manteaux et quatre cents pagnes brodés, huit cents coquillages rouges, huit mille balles d'encens non raffinés enveloppées dans des feuilles de palmier, vingt disques d'or fin... »

Pantli ne sait plus comment sortir de ce tunnel végétal. Partout les mêmes enchevêtrements de lianes, les mêmes énormes racines, les mêmes arbres qui cachent le ciel. Partout la même voracité des moustiques. La nuit bruit de craquements et de cris inconnus. Parfois le rugissement d'un jaguar provoque de grands envols d'oiseaux et des frémissements de feuilles. Pour trouver le sommeil, Pantli songe à Mexico la blanche, le cœur de l'univers. Il évoque les files de saules argentés, le calme des canaux, les volcans clairs au-dessus des forêts sombres, tout ce grand espace d'eau et de collines que transforme sans cesse la lumière. Non, il ne se laissera pas mourir ici, au milieu de ces arbres étouffants, il ne laissera pas son corps pourrir comme les feuilles et les branches, il ne deviendra pas une pâture pour le jaguar. Il mourra comme un Aztèque, sacrifié au dieu, ou incinéré et enterré avec un petit chien pour l'accompagner dans l'enfer, ou destiné au paradis vert du dieu de la Pluie. Pour le moment, il doit vivre comme ses ancêtres, qui pendant plus de deux cents ans, en descendant vers le sud, se sont nourris de racines, de lézards, de poissons et de courage.

Enfin Pantli croise une large rivière et l'espoir renaît dans son cœur. Il n'a plus qu'à suivre le courant pour trouver des villages habités. Réconforté et impatient de se laver, il glisse lentement dans l'eau, la tête allongée sur la rive. L'eau est tiède et ne provoque pas ce vif tressaillement que procurent les lacs froids des hauts plateaux. Mais la chaleur le délasse et Pantli se laisse aller au bien-être. Des poissons frôlent son corps, des petits crustacés s'agitent sous ses pieds. Quelque chose, une grosse herbe sans doute, caresse sa jambe et l'enlace avec fermeté. Pantli a un vague sourire devant toute cette agitation autour de son grand corps. Mais la dernière caresse remonte jusqu'à la cuisse et se dirige progressivement vers son ventre. Intrigué, il jette un coup d'œil sur la rivière et aperçoit, juste au-dessous de la surface de l'eau, la tête large et triangulaire d'un énorme serpent. En un instant le guerrier retrouve les réflexes acquis au collège des jeunes gens : sang-froid, décision, précision des gestes. Le garçon avance très lentement ses larges mains vers l'animal qui rampe sur son ventre. Puis, avec une rapidité étonnante, le saisit au cou. Le serpent montre ses crochets venimeux et son long corps se resserre en un éclair autour de la cuisse du garçon. Pantli ne peut plus bouger. Il ne peut que tenir en face de lui la tête couverte d'écailles à la langue fourchue, et serrer, serrer de toutes ses forces le cou de l'animal.

Longtemps, tous deux restent face à face. Le serpent ne cède pas sous l'étreinte et Pantli commence à ressentir des crampes dans les bras. Alors il pousse un cri rageur :

« Chez les Aztèques, c'est l'aigle qui tue le serpent. »

Et d'un mouvement violent il se retourne sur le

côté et frappe la tête de l'animal contre une grosse pierre. Le serpent siffle, sa langue se rétracte, ses anneaux se desserrent. Alors Pantli bondit et se met à hurler, à hurler longtemps comme une bête pour décharger les émotions des derniers jours : la peur, la victoire sur l'animal, la honte de son échec à Cempoala, la crainte du visage de son père, la tristesse de son cœur sous le regard des dieux.

6

Le volcan éteint

La pluie fait une musique douce et monotone sur les feuilles vertes des maïs et les épis déjà murs. Pieds nus, la jupe et la chemise trempées, Miahualt avance en chantonnant sur la pente d'un vieux volcan. Elle ramasse de longues herbes fleuries pour fabriquer son balai, car le soir commence la fête de la moisson. De graves préoccupations se bousculent dans sa tête : quel ornement de papier plissé mettra-t-elle sur sa poitrine ? Devra-t-elle choisir une chemise couleur brique, comme les nœuds de ses sandales blanches, ou bien rayée comme sa jupe ? C'est que l'armée doit revenir dans l'après-midi. Totomitl aura-t-il fait un prisonnier ? La trouvera-t-il toujours séduisante ?

Absorbée par ces réflexions importantes, elle ne remarque pas Calmecahua qui la dévisage d'un air sarcastique. Il est trempé, lui aussi, et ses cheveux, son sac à dos, son pagne dégoulinent piteusement.

« Toujours en train de chanter !

— D'où viens-tu ? demande Miahualt.

— De Cempoala.

— Alors tu as constaté la victoire des Mexicains ! s'exclame Miahualt, triomphante.

— Ne te réjouis pas trop vite. Beaucoup de signes annoncent la fin de Mexico. »

La courtisane rit :

« Ce sont des rumeurs de jaloux, que les gens de Tlaxala font courir pour effrayer le cher petit peuple. Mais qu'est-ce que tu portes là ? »

Du pagne trempé émerge un bout de coton rouge.

« Ce n'est rien.

— Comment rien ! Tu deviens écarlate comme une plume de perroquet.

— Laisse ça tranquille », grogne Calmecahua, de mauvaise humeur.

Miahualt ne peut résister au plaisir d'agacer le garçon. D'un mouvement vif, elle tire sur le coton rouge, casse le fil qui attachait le petit sac au pagne, et s'enfuit en criant :

« J'emporte ton secret.

— Rends-moi ça immédiatement ! »

Calmecahua, furieux, court à la poursuite de la jeune fille qui grimpe rapidement la colline.

« Ton jeu ne m'amuse pas ! Je suis fatigué. J'ai longtemps marché. »

Miahualt se retourne vers lui.

« Alors, dis-moi ce qu'il y a dedans. »

Calmecahua la rejoint à pas lents.

« Tu me le rendras ?

— Oui.

— C'est de l'herbe-scorpion.

— Du poison ! grimace Miahualt. Mais pour qui ?

— Je ne te le dirai pas. »

Miahualt repart de plus belle vers le haut du volcan.

« Tu es une menteuse ! Tu avais promis de me le rendre, s'indigne le garçon.

— Je n'avais pas mangé la terre », réplique Miahualt.

Calmecahua est excédé.

« Arrête-toi, ou je te mets la figure dans la poussière. »

Miahualt se retourne à nouveau.

« Dis-moi à qui ce poison est destiné et je te le rendrai aussitôt.

— Tu ne sauras rien. »

Miahualt fait la coquette et joue des paupières.

« Laisse-moi deviner. C'est pour un vaillant guerrier dont tu es jaloux ? »

Calmecahua hoche la tête négativement.

« Un marchand que tu as volé ? Un prêtre dont tu crains les paroles ? »

Miahualt cherche désespérément une victime.

« Tu m'intrigues vraiment ! » avoue-t-elle.

Calmecahua a envie de l'étonner.

« C'est pour une fille.

— Une fille ! s'exclame Miahualt, scandalisée. Je ne te le rendrai jamais pour tuer une fille. »

Et elle se remet à grimper. La terre devient grise et lourde sous la pluie. Miahualt monte hardiment jusqu'en haut du volcan dont le sommet est creusé par un cratère éteint.

« Donne-moi le sac, ordonne Calmecahua en la rejoignant.

— Non.

— Tu es vraiment trop stupide. »

Et Calmecahua tente de reprendre par la force le petit sac de coton, mais Miahualt résiste courageusement. Cependant la lutte est inégale et pour se défendre la jeune fille recule petit à petit. Soudain ses pieds dérapent dans la boue, elle glisse et dégringole jusqu'au fond du cratère. Lorsqu'elle essaye de remonter la pente, la terre s'éboule, lourde et collante, sous ses pas. Effarée, Miahualt implore :

« Aide-moi. Je t'en supplie. Ne me laisse pas dans ce trou. »

Mais Calmecahua la toise avec arrogance :

« C'est ta faute. D'ailleurs, c'est ton destin. Quand on est née comme toi sous un signe qui menace d'une mort prochaine, on est douce et obéissante, on ne joue pas les capricieuses. Adieu, Miahualt ! »

Lorsque Calmecahua disparaît, Miahualt sent la panique l'envahir. Autour d'elle, il n'y a qu'une pente raide, gorgée de pluie. Courageusement, elle essaye de remonter et, à chaque tentative, patine et revient au point de départ.

« Fleur-plume précieuse[1], murmure-t-elle, aie pitié de moi ! »

Une dizaine de paysans font la corvée de nettoyage de l'aqueduc d'eau potable qui va de la colline de la Sauterelle au centre de la ville. Au fond du conduit, le père de Totomitl ramasse trois plumes d'oiseau et quelques feuilles décomposées. Puis il se redresse et scrute la lagune. Quoique le vent ait chassé les nuages et dégagé l'horizon, il ne voit rien

1. Fleur-plume précieuse, Xochiquetzal, est la déesse des Courtisanes.

venir sur la chaussée du Sud. Son visage devient soucieux.

« Ne t'inquiète pas, l'apostrophe un paysan. L'armée reviendra bientôt et ton fils sera vivant.

— Peut-être avec un prisonnier », suggère gentiment un autre.

Le père de Totomitl les remercie d'un léger sourire, mais il est trop anxieux pour pouvoir travailler. Il remédie au tourment de l'attente, en regardant un homme debout sur l'autre conduit de l'aqueduc, celui qui est en fonctionnement. Les bateliers lui tendent au passage leur cruche vide en disant :

« Que ton eau soit la bienvenue dans la ville au milieu du lac !

— Que la déesse à la jupe de jade[1] te protège », répond l'homme en emplissant la jarre d'eau potable.

Enfin les tambours et les trompettes retentissent au loin.

« Les voilà ! » s'exclame le père de Totomitl.

Tous se retournent vers la grande chaussée du Sud. De loin, ils distinguent avec peine la file noire des prêtres immobiles et les bannières de couleur qui vont à leur rencontre.

« Les prêtres donnent des fleurs aux guerriers, commente le père.

---

1. La déesse à la jupe de jade est la déesse de l'Eau douce et l'épouse du dieu de la Pluie.

— Tu te moques de nous, compère, dit un paysan. À cette distance tu ne peux pas voir de fleurs. »

Un autre plaisante :

« J'en vois même un qui donne une fleur de maïs à ton fils.

— Et même une guirlande ! » ajoute un troisième.

Le père se fâche :

« Pourquoi vous moquez-vous de moi ? Les préceptes des vieillards disent qu'il faut aimer ses enfants avec tendresse. C'est pourquoi mon cœur bat d'inquiétude et d'espoir en voyant là-bas tous ces guerriers, car si par malheur... »

Une main amicale se pose sur son épaule.

« Ne te fais pas de souci. Tu verras certainement ton fils, ce soir, à la fête des balais. »

★

Pendant ce temps, à Tlatelolco, dans le quartier des tanneurs, une marchande de plats cuisinés observe Pantli assis devant sa boutique. Pour la partie de haricots contre un batelier, le garçon joue avec des gestes brusques et un regard fiévreux.

« Si c'est pas malheureux, commente la marchande, en remuant sa bouillie d'amarante. Être fils de seigneur, et traîner ici toute la journée, en abandonnant ses camarades de guerre.

— Qui est son père ? demande un tanneur tout en mangeant une galette de maïs.

— C'est le Gardien-De-La-Maison-Noire. »

Le tanneur reste muet d'étonnement. Puis après une longue réflexion, il suggère :

« C'est sans doute ce que veulent les dieux.

— Je suis né sous le signe dix-jaguar, explique Pantli en lançant les haricots.

— Alors, c'est bien ce que je disais », conclut le tanneur satisfait de son explication.

Lorsque les tambours et les trompettes sonnent le retour victorieux des guerriers, la marchande pose sa marmite sur le sol.

« J'y vais. J'adore voir les vaillants guerriers dans leurs beaux vêtements.

— On y va tous, dit le batelier en se levant. Tu viens avec nous ? » demande-t-il à Pantli.

Pantli baisse la tête sans répondre.

« Allez, laisse-le, conseille la femme. Il est malheureux, cela se voit sur son visage.

— Donne-lui un peu de vin d'agave, suggère le tanneur.

— C'est interdit à son âge.

— Dans l'état où il est, il vaut mieux qu'il oublie. Donne-lui à boire, femme. »

La marchande apporte une grande cruche de vin d'agave.

« N'en bois pas trop, conseille le tanneur en riant.

Sinon les quatre cents lapins t'emmèneront dans leurs danses. »

Et tandis que la rue se vide des habitants qui se dirigent vers la Maison des dieux, Pantli reste seul, le dos voûté, comme anéanti.

★

Dans l'enceinte sacrée, une clameur s'élève :

« L'empereur, voici l'empereur ! »

Les serviteurs jettent des nattes et des manteaux sous ses pas, la foule lance des fleurs. Totomitl exulte de joie :

« Des plumes. Je vais avoir une coiffe de plumes ! »

Son esprit surexcité évoque en désordre le sourire de Miahualt, la fierté de sa famille, les cadeaux de l'empereur et le titre de *tequia* qui lui donnera une part du tribut et le commandement d'une patrouille. Seul, le souvenir de Pantli atténue sa joie. Qu'est devenu son ami ? Puis il songe à nouveau à Miahualt, aux plumes, à l'empereur, aux cadeaux, à Miahualt...

À l'occasion de la fête des balais, l'empereur distribue les récompenses et les armes d'honneur. Dans sa tenue turquoise, Moctezuma est assis sur une chaise basse couverte d'un plumage d'aigle. Autour de lui se tiennent le serpent-femme au manteau noir et blanc, et les quatre grands chefs militaires. Aux pieds de l'empereur, des serviteurs disposent les cadeaux : boucliers, glaives, manteaux, pagnes, bijoux et ornements.

Lorsque arrive le tour de Totomitl, il s'avance en saluant sept fois et en tenant les yeux baissés. L'empereur lui donne un panache de plumes, un glaive aux éclats d'obsidienne collés avec des excréments de tortue, des bracelets de cuir, un pagne assorti à un manteau de coton décoré d'une bande verte, et un labret en cristal de roche.

Il fait nuit lorsque commence la fête des balais. Les guerriers ont revêtu leurs nouveaux costumes et ornements. Totomitl trouve les habits de coton plus doux et confortables que ceux d'agave, mais son labret à travers sa lèvre le fait encore souffrir. Il s'y habituera. Quant à son panache de plumes, il le déplace sans cesse sur sa tête pour trouver la meilleure position.

Par la porte des Aigles arrivent des jeunes filles et des courtisanes, aux jambes couvertes de duvet, un balai d'herbes à la main. Elles font semblant de balayer le chemin des dieux pour cette fête de la moisson. Elles serpentent à travers la foule et jettent des grains de maïs que les enfants ramassent précipitamment. Mais Totomitl a beau scruter les visages, examiner les bouches, les yeux, les nez, les cheveux, il n'aperçoit pas Miahualt. Le Frère aîné, qui l'examine depuis un moment, devine sa déception et lui chuchote :

« Elle viendra certainement pour le combat des femmes. »

Le ciel est rempli d'étoiles, l'air d'odeurs d'encens et de caoutchouc brûlé, et les musiciens entonnent un air martial pour la danse du soir. Totomitl grille d'impatience. Il prépare son sourire, il prépare son cœur à la joie de voir Miahualt s'exclamer de surprise et de bonheur à la vue de son panache de plumes.

De la porte des Aigles surgissent les femmes, de la porte de la Pointe des roseaux, s'approchent les courtisanes. Mais dans les visages peints en jaune et rouge, Totomitl n'aperçoit pas les grands yeux couleur d'obsidienne. Les deux groupes de « jupes et de chemises » s'affrontent en chantant. La foule s'esclaffe devant leurs comiques combats. Les uns encouragent de la voix, d'autres se moquent des maladresses, tous rient.

Totomitl sent un grand froid geler son cœur. Il ne comprend pas l'absence de Miahualt. Parfois il envisage quelque retard capricieux et s'attend, à tout instant, à la voir arriver, rayonnante et confuse. Parfois il envisage un grand malheur, puis à nouveau il espère et examine tous les visages.

La lune monte dans le ciel et Totomitl se sent de plus en plus triste, de plus en plus inquiet. L'empereur retourne vers son palais. Seul reste le Gardien-De-La-Maison-Noire, pour suivre la fête jusqu'à sa fin. Les femmes retournent vers leurs époux, et beaucoup rentrent dormir. Les nains et les bossus de l'empereur viennent remplacer les danseuses pour divertir les spectateurs qui n'ont pas encore sommeil. Ils font des sauts et des cabrioles qui provoquent des éclats de rire. Totomitl, fou d'inquiétude, s'apprête à partir vers la maison de Miahualt lorsqu'apparaît la robuste silhouette de Pantli. Il titube et chante à tue-tête :

« Iia, iia, aiia, aiio, ooia, aiia, iio. »

Et il accompagne sa chanson de gestes extravagants, se donnant des claques sur les cuisses et haussant les épaules. Il tourne trois fois autour d'un chevalet à crâne, puis fait semblant de jouer à la marelle devant la grande pyramide.

Sur le parvis tombe un silence réprobateur. Les nains s'écartent, les musiciens cessent de jouer. On n'entend plus que la chanson de Pantli et le craquement du bois sur les braseros. Alors le Gardien-De-La-Maison-Noire ordonne d'une voix forte :

« Qu'on lui rase la tête ! »

Deux jeunes prêtres saisissent Pantli par les bras, le forcent à s'asseoir, tandis qu'un troisième lui rase les cheveux avec un couteau d'obsidienne. Les spectateurs, mal à l'aise, s'en vont et disparaissent sous les quatre portes de l'enceinte sacrée. Les guerriers s'éloignent à leur tour.

« Je reste avec lui », déclare Totomitl au Frère aîné.

Au milieu de l'immense parvis, Pantli est assis, hébété. Il continue à chantonner. Totomitl s'approche de son ami lorsque Uemac le rejoint en courant :

« On m'a tout raconté. Le malheureux. Il a dû vivre des moments effroyables. »

Et comme Totomitl ne répond rien, il précise.

« Toutes nos actions reflètent notre cœur. Le sien doit être écrasé de chagrin pour s'exhiber ainsi. Il faut le faire parler, il faut qu'il se délivre de ses soucis.

— Il faut surtout qu'on lui mette la tête sous l'eau. Aide-moi à le tirer jusqu'au grand bassin.

— Non, non. Dans le grand bassin, il y a des prêtres qui viennent se baigner toute la nuit. Emmenons-le vers la lagune. »

Tous deux relèvent Pantli. L'oiseau-quetzal chante pour réconforter le garçon.

Les trois amis rejoignent le lac, en face des volcans argentés par la lune. L'eau froide réveille Pantli. Il tressaille, secoue la tête, frotte son front, puis son crâne avec étonnement. Uemac aussitôt le réconforte.

« Tu es rasé, mais ce n'est pas grave. Tu étais tourmenté. Tu étais malheureux. Maintenant tu es encore désorienté. Mais tu finiras par trouver ton bien. C'est difficile de choisir son bien sur la terre, mais tu y arriveras, j'en suis certain. Fais confiance... »

Pantli a un geste agacé.

« Laisse-le tranquille », conseille Totomitl.

Pantli retrouve lentement ses esprits puis il examine le jeune guerrier qui porte les insignes de gloire : broche de lèvre, coiffe de plumes, manteau de coton, bracelets de cuir. Sous le regard de Pantli, Totomitl se sent gêné des honneurs qu'il a reçus.

« Je suis toujours ton ami », explique-t-il pour le consoler.

Pantli ne répond rien et plonge dans la lagune en direction des volcans.

« Reviens ! crie Uemac. Pantli, reviens !

— Laisse-le. Il a besoin de solitude.

— Et s'il se noie ?

— Il est fort comme un jaguar. »

L'air songeur, Totomitl ajoute :

« Je me demande ce qui lui est arrivé. Certainement un grand tourment. »

Puis subitement il part en courant.
« Où vas-tu ? interroge Uemac.
— Chez Miahualt. Elle a disparu. »
Uemac soupire :
« Oiseau-quetzal, pour une fête, c'est une triste fête. Quelle pitoyable, quelle lamentable nuit ! »

De l'autre côté du lac de Texcoco, Pantli se sèche au pâle soleil du matin. Les jours à venir lui paraissent noirs comme la fumée. Il a perdu l'espoir. Il va marcher, marcher jusqu'à ne plus avoir la force de penser.

« Je vais monter au sommet de la Montagne blanche[1] et me coucherai dans la neige. Là, j'attendrai que les dieux viennent à mon secours. »

De collines boisées en collines arides, il chemine jusqu'à l'heure où les guerriers ressuscités confient le Soleil aux femmes vaillantes. Il lui semble alors entendre une plainte, à peine audible.

« Ce n'est pourtant pas l'heure où rôdent les femmes-fantômes », se dit-il.

Toutefois, rendu méfiant par le malheur, il va cueillir une épine, se pique les oreilles et jette une

1. La Montagne blanche, Iztactepetl, est un haut volcan près de Mexico.

goutte de sang aux quatre points cardinaux. Un peu plus loin sur le chemin il entend distinctement :

« Notre vie n'est qu'un rêve,
notre vie n'est qu'un songe.
Il me faudra quitter les belles fleurs,
il me faudra quitter les beaux chants.
En vain je serai venue sur la terre.

— Miahualt ! C'est la voix déchirante de Miahualt ! »

Quoique Pantli regarde de tous côtés, sur les flancs des collines, sur les sommets arrondis, dans la vallée qui serpente, il n'aperçoit nulle part une jupe et une chemise.

« C'est le dieu du Vent qui me joue des tours », conclut-il tristement.

Cependant, en haut du vieux volcan, la voix s'élève à nouveau, toute proche. Pantli se dirige vers le cratère éteint et découvre au fond du trou, noire de boue, échevelée, le visage maculé de taches, Miahualt accroupie.

« C'est moi, Pantli ! »

La jeune fille lève la tête.

« Je n'arrive pas à remonter ! Viens à mon secours ! »

Pantli réfléchit. Certes, avec la saison sèche qui commence, la boue finira par durcir, mais Miahualt ne peut attendre.

« Je reviens ! » crie-t-il.

Miahualt retrouve un peu d'espérance. Les yeux fixés sur le rebord du cratère, elle attend le retour du garçon. Mais le temps passe, le soleil ne la réchauffe plus et elle grelotte. Pantli ne revient toujours pas.

« Que fait-il ? se demande-t-elle. Lui serait-il arrivé un accident ? »

Et à nouveau la sensation oppressante de l'angoisse contracte sa gorge et son cœur. Enfin Pantli réapparaît, traînant derrière lui de grosses branches. Patiemment, il cale des morceaux de bois dans la boue, pour constituer des supports bien fermes. Le travail est long et méticuleux. Lorsqu'il a terminé l'escalier improvisé, le garçon descend chercher la courtisane. Elle a les yeux fiévreux et son corps tremble comme une feuille au vent.

« Tu es malade ?

— Je ne sais pas. J'ai chaud, puis j'ai froid, puis j'ai chaud. »

Elle lève un visage pathétique.

« Je suis si fatiguée. J'ai eu si peur. »

Pantli la rassure.

« Ce n'est rien. Tu as attrapé un air de maladie.

— Heureusement que tu es venu », dit Miahualt avec un petit sourire.

Pantli songe que, sans cette rencontre, il serait parti s'allonger dans la neige et que la volonté des dieux est bien insolite et imprévisible. Mais il n'a pas envie de raconter son infortune. Miahualt aussi doit préférer taire la cause d'une situation aussi déplaisante.

« Je vais te porter », se contente de dire Pantli.

Et il prend la jeune fille sur son dos.

Le soleil est déjà entré dans la terre lorsqu'ils atteignent la lagune et il fait froid sous les étoiles.

« Évite Mexico, supplie Miahualt. Je ne veux pas qu'on me voie dans cet état misérable.

— Moi non plus, je ne tiens pas à être vu. Je ferai le tour par la colline de la Sauterelle. »

Pantli marche d'un pas lent et régulier. D'avoir sauvé la courtisane lui donne de la force et de la sérénité. Il fait le bilan des derniers jours et décide d'affronter courageusement son destin. Pour éviter une humiliation à Miahualt, il s'écarte prudemment des prêtres au visage sombre qui vont se baigner dans les sources glaciales ou ramasser des épines d'agave. Puis il dépose la jeune fille dans sa maison de bambou.

« Je ferai prévenir Totomitl », dit-il en s'en allant.

Au milieu de la matinée, lorsque les conques mugissent, Uemac donne des graines à l'oiseau-

quetzal pour son déjeuner et se dirige gaiement vers les cuisines de l'empereur. Une délicieuse odeur de piment aiguise son appétit. Dans la vaste pièce surchauffée par les braseros, torses nus, en sueur, les cuisiniers s'affairent. Uemac, le nez en l'air, renifle avec un sourire béat.

« J'ai senti une plaisante odeur de piment. D'où vient-elle ? »

Un cuisinier se retourne.

« Tu as le choix. Il y a de la sauce de piment avec des grenouilles, ou du poisson blanc ou des petits chiens. »

Un autre cuisinier arrive avec une calebasse pleine de tritons.

« Goûte plutôt ces mollusques. C'est un délice. »

Uemac se sert avec trois doigts, ferme les yeux pour apprécier le plat, se délecte un moment, puis avec voracité mange toute la calebasse.

« Tu es trop gourmand, Uemac, constate le cuisinier. Tu ne t'es même pas lavé les mains. »

Uemac penche une tête suppliante :

« Ne pourrais-je avoir aussi un petit ananas avec du bouillon de volaille ? »

Le cuisinier s'esclaffe gaiement :

« En échange, une chanson. »

Et Uemac se met à danser comme un pitre et chante :

« C'est seulement sur la terre
qu'il y a des fleurs et des dindons,
des arbres et des papillons.
C'est seulement dans la mer
qu'il y a des crabes et des poissons,
des algues et des tritons.

— Et les bossus ? Où sont les bossus ? » demande le cuisinier en riant.

Uemac se redresse fièrement et répond d'un ton théâtral :

« Les bossus vivent dans la maison dorée de plumes.

— Je ne l'ai jamais vue, cette maison-là », dit un autre cuisinier.

Uemac dévore son ananas lorsqu'une femme s'approche de lui.

« À Tlatelolco, j'ai rencontré ton ami, celui à qui on a rasé la tête. Il était dans le quartier des tanneurs. Deux gendarmes sont venus le chercher pour l'emmener chez le Gardien-De-La-Maison-Noire.

— J'y vais tout de suite. »

Rapidement, il se lave les mains, retourne à la Maison des oiseaux, fait un gros bouquet de plumes précieuses et se rend dans la belle maison du père de Pantli. La porte est encadrée de céramique multicolore, la cour parsemée de statues, de fleurs et de bassins.

À peine s'est-il incliné devant le grand personnage assis sur une chaise basse, que Pantli apparaît, entre deux gendarmes, sans manteau, sans sandales, la tête baissée, ses larges épaules voûtées.

Le Gardien-De-La-Maison-Noire fait signe à Uemac de s'écarter et Pantli s'avance, gêné.

« Je t'ai fait appeler, mon fils, car tu as oublié que tu descendais de parents nobles. Tu t'es montré sur la place publique dans un état qui a retourné mon visage et mon cœur. Si tu avais été un dignitaire, tu aurais été tué sur-le-champ pour ivrognerie. Le vin est cause de beaucoup de mal et de beaucoup de discordes dans les cités. C'est comme un tourbillon, une tempête qui apporte tous les maux. »

Le grand dignitaire se tait un moment. Par la porte entrouverte sur les bassins, on entend le caquetage des canards et des cygnes.

« Dorénavant, reprend le dignitaire, tu quitteras le collège des jeunes guerriers, car tu n'en es plus digne. Dans ma grande miséricorde, quoique mon cœur soit outragé, je demanderai pour toi à notre empereur vénéré une place de petit fonctionnaire. Reviens me voir demain. Je n'ai rien d'autre à dire. »

Des larmes montent dans les yeux de Pantli. Il s'incline et se dirige vers la porte. Le Gardien-De-La-Maison-Noire se tourne vers Uemac.

« Je n'ai pas envie de prendre de leçon de plumes aujourd'hui. »

Uemac, fort satisfait de cette décision, salue et se dépêche de rattraper Pantli. Il court aussi vite que le permet la courtoisie aztèque.

« Pantli, attends-moi ! »

Lorsque, essoufflé, il rejoint son ami, il aperçoit un visage sombre.

« Pantli, ne laisse pas la déception envahir ton cœur. C'est très agréable d'être fonctionnaire. C'est une vie régulière et tranquille. Tu continueras à étudier le tambour et le chant et... »

Pantli se tourne brusquement vers lui.

« Tu as vu le regard de mon père ?

— Il était comme d'habitude. Glacial.

— Son ton était plein de reproches. »

Uemac devient véhément.

« Il déplaît aux dieux que l'on s'afflige du sort qu'ils nous envoient. D'ailleurs je te dis qu'être fonctionnaire est un métier agréable...

— Je ne peux pas être fonctionnaire. J'ai des dettes. »

Uemac l'interroge du regard.

« Des dettes au jeu des haricots. Maintenant je veux rester seul. Au revoir et ne me suis pas. »

Pantli s'éloigne, puis se retourne pour crier :

« Dis à Totomitl que Miahualt est revenue dans sa maison. Elle est malade. »

En le regardant s'éloigner, Uemac commente :

« Oiseau-quetzal, tu vois comment est la vie

humaine, vite étourdie par les soucis ou les plaisirs ! »

Et comme l'oiseau se met à gazouiller, il ajoute :

« Tu as raison. Il vaut mieux s'émerveiller de la beauté de l'univers. »

7

Une nuit agitée

Dans la douce lumière du crépuscule, Totomitl jette un coup d'œil sur les guerriers qui se baignent dans la lagune et s'enfuit discrètement vers la maison de ses parents.

Sa mère, dans le jardin domestique, est accoudée sur un bâton, à côté d'un tas de déchets. Dès qu'elle aperçoit le garçon, elle le hèle :

« Mon fils, viens m'aider à enfouir ces saletés. Je me suis levée trop tard ce matin, et la barque des ordures était déjà passée. Je me sens toute molle ! »

Totomitl porte la main maternelle à son front :

« Mère chérie, je suis très, très pressé. Est-ce que la Huéhué est à la maison ? »

Et sans attendre de réponse il se précipite dans la cour. La mère soupire :

« Il n'écoute même plus avec plaisir les paroles de sa mère ! »

Et elle se remet à creuser la terre.

Totomitl entre dans la maison, suivi par un dindon qui glousse. La Huéhué lui sourit.

« Mon joyau, mon bijou, surtout ne t'approche pas. Je confectionne un emplâtre pour le chasseur d'à côté. Il s'est cassé la jambe en tombant d'un cèdre ce matin. Qui donc t'envoie ?

— Euh... personne... »

Totomitl arpente nerveusement la pièce. Il soulève le couvercle d'un coffre, boit de l'eau, puis va tisonner les braises du feu.

« Qu'est-ce que tu as à bouger sans cesse ?

— Rien... je regarde.

— Tu as faim ? Tu veux un morceau de galette ?

— Non, non. »

La Huéhué délaisse son emplâtre et rejoint son petit-fils :

« Un *téquia* qui ne cesse de remuer ses jambes, sa tête, et ses bras, n'a pas le cœur tranquille. »

Totomitl avoue précipitamment :

« C'est pour Miahualt. Elle est toute seule dans sa cabane. Elle est malade. Il faut que tu la guérisses. »

La Huéhué est stupéfaite :

« Tu veux que je guérisse une courtisane, qui sort toute seule la nuit, traîne devant les portes, regarde dans les yeux... »

Totomitl prend un ton pathétique :

« Elle est pâle comme la cendre, toute maigrichonne, ses yeux sont comme un feu éteint, et ses cheveux frisent. »

La grand-mère fait une grimace devant tant de laideur. Son petit-fils explique :

« Son destin dit que la mort peut venir.

— La mort vient pour tout le monde. »

Totomitl baise fiévreusement les mains aux veines bleues.

« Ma Huéhué chérie, je t'en supplie. »

La Huéhué, mécontente, retire ses mains et retourne à son emplâtre.

« Je suis une vieille femme honorable. Et c'est pour me demander de guérir une courtisane que tu as quitté clandestinement, car tu as quitté clandestinement, ne mens pas, la Maison des jeunes gens ?

— Maintenant je suis *téquia*. »

La grand-mère s'arrête de stupeur.

« Tu tires vanité des honneurs que les dieux t'ont accordés ! As-tu oublié que notre Seigneur, la Terre et le Soleil, peut t'enlever demain ce qu'il t'a donné hier ? »

Totomitl est agacé par ce discours.

« Miahualt sera ma femme. Je l'épouserai quand

j'aurai vingt ans et que j'aurai fait prisonniers quatre capitaines. »

La vieille femme reprend son travail en grommelant :

« Rebelle ! Tu es un rebelle ! »

Totomitl change de stratégie et prend un ton charmant :

« Quand j'aurai la moitié des cheveux rasés, et un toupet en haut du crâne, tu seras très fière de moi. »

Mais cette glorieuse perspective ne déride pas le visage buté de la grand-mère. Totomitl tente sa dernière chance.

« Demain, je joue à la pelote contre les guerriers du district de Tlatelolco. »

La Huéhué est subitement désarmée par cette marque d'honneur. Ses yeux se voilent d'émotion.

« Dire que maintenant tu as le droit de jouer à la pelote ! »

Totomitl s'empresse d'obtenir gain de cause :

« Alors, si mon équipe gagne, tu la soigneras ? »

La Huéhué examine le bon visage franc de son petit-fils, son expression énergique, son regard chaleureux.

« Tu me fais perdre le bon sens. Si tu gagnes, je soignerai ta courtisane. Quelle est sa maladie ?

— Elle a attrapé froid sous la pluie dans les montagnes.

— Alors seules les montagnes peuvent la guérir.

Tu l'amèneras au petit temple de brume de la colline des Chichimèques. »

Totomitl embrasse passionnément les mains de sa grand-mère.

« Ma Huéhué chérie, tu es la meilleure des grand-mères, la plus généreuse, la plus tendre, la plus sage. »

La guérisseuse sourit, amusée.

« Souviens-toi cependant qu'il n'est pas convenable d'être si passionnément amoureux ! »

Totomitl attache soigneusement autour de sa taille la large ceinture matelassée qui couvre ses reins et son ventre. Puis il enfile des genouillères et des gants de cuir. Il se sent un peu inquiet. Certes, il s'est souvent entraîné dans la forêt à se jeter sur le sol pour relancer une balle avec les hanches, mais jamais il n'a joué avec la grosse boule en caoutchouc. Il aimerait bien la tenir entre ses deux mains ouvertes et lui murmurer :

« Toi, boule qui vas parcourir le terrain de jeu comme le Soleil parcourt le ciel pour donner vie à l'univers, accorde-moi un sort heureux, car il s'agit de la vie de Miahualt. »

Mais il n'ose pas. Les six guerriers de son équipe

et les sept de l'équipe adverse sont silencieux et graves. Un joueur s'approche de lui, l'air sévère :

« Je te rappelle que tu dois toucher la balle seulement avec les hanches et les genoux. Si tu la frappes avec les mains, avec les pieds ou avec la tête, tu es éliminé. »

« Il me traite comme un enfant qui ne connaîtrait pas les règles », songe Totomitl, vexé par ces recommandations.

Lorsqu'il sort du vestiaire, il est ébloui par les rayons du soleil levant. Puis il observe les murs qui délimitent l'espace du jeu : un long et large couloir où sont fixés, de chaque côté, deux grands anneaux de pierre. Le couloir se prolonge, à chaque extrémité, par un terrain rectangulaire qui sert de camp pour chaque équipe. Vus d'en bas, les anneaux de pierre paraissent terriblement hauts, et l'orifice pour passer la balle, très petit. La victoire lui semble soudain bien incertaine.

Le tumulte de l'assistance arrache Totomitl à ses appréhensions. Les spectateurs sont installés sur les gradins. En bas, les marches de pierre sont recouvertes de coussins brodés sur lesquels s'assoient les dignitaires aux manteaux multicolores. En haut se tient le cher petit peuple, vêtu de blanc. De part et d'autre de l'espace du jeu, des serviteurs surveillent les vêtements, les plumes et les esclaves que les seigneurs ont pariés sur les futurs vainqueurs. Dans un temple bas, les prêtres à l'aspect farouche, leurs cheveux flottants, leur calebasse de tabac en bandoulière, surveillent le déroulement du jeu sacré. Derrière s'élèvent les pyramides des temples.

Un roulement de tambour annonce le début de la partie. Un prêtre donne le signe du départ en frappant sur une carapace de tortue. Aussitôt la balle est lancée. Pour la renvoyer les joueurs se plaquent sur le sol, grâce à leurs mains gantées, ou bien se déhanchent hardiment. Parfois ils se cognent contre les murs, qui sont heureusement rembourrés jusqu'à la hauteur des épaules. La balle rebondit sur les parois, revient, remonte, butte contre l'anneau de pierre, sans jamais le traverser. Un joueur, ayant frappé maladroitement avec son estomac se tient le ventre de souffrance et abandonne le terrain. Plus tard, un autre se casse un bras en se jetant par terre.

Totomitl est déconcerté par la difficulté et la rapidité du jeu. Il ressent la fatigue et le découragement d'efforts violents mais inutiles. Il perd confiance, se trouble, s'affole en pensant à Miahualt, rate plusieurs fois la balle avec son genou. Un compagnon lui chuchote d'un ton condescendant :

« Ne t'en fais pas si tu joues mal. C'est normal, la première fois. »

Une grande flamme d'amour-propre blessé lui donne envie de hurler :

« Il est interdit d'humilier un camarade ! »

Mais il se sent ridicule. Voilà qu'arrive la grosse balle qui va retomber sur le sol. Totomitl se jette à genoux et donne un très violent coup de hanche. Une cuisante douleur dans le dos, comme s'il s'était arraché un muscle, le force à s'allonger sur le sol. Il a les larmes aux yeux à la perspective de devoir quitter la partie. Mais déjà la foule applaudit. Le garçon, surpris, regarde autour de lui. Femmes, hommes et enfants s'égosillent en tapant sur leurs lèvres. La balle est passée. Il ne l'a pas vue, mais elle est passée. Miahualt, Miahualt guérira.

Sous le regard du vénérable lapin dans la lune toute ronde, les filles rentrent en groupe dans leurs familles, les guerriers dans leur collège et les plus valeureux raccompagnent les courtisanes. Totomitl se dirige de son pas léger vers la maison de Miahualt. Sur la chaussée, il écoute ses sandales résonner différemment sur les pavés et les ponts de cèdre sous lesquels s'écoule l'eau du lac. Des barques de marchands rentrent de voyage discrètement afin de cacher leurs richesses. Dans des pirogues, près de la terre ferme, les jeunes novices des temples préparent la teinture noire dont les prêtres enduiront leur corps le lendemain matin.

Miahualt est très fiévreuse. Totomitl l'enveloppe

en toute hâte dans un grand tissu de coton et la porte sur son dos. Puis il monte vers la maison de brume. La jeune fille est aussi immobile qu'une charge[1] de tissu et Totomitl s'alarme :

« Miahualt, ça va ? »

Un faible gémissement le réconforte.

Dès qu'il retrouve la Huéhué devant le petit temple du dieu de la Pluie, il annonce :

« Elle est anéantie. »

La Huéhué a un sourire attendri et aide son petit-fils à déposer son fardeau. Elle regarde la jeune fille toujours aussi inerte.

« Il est certain qu'elle a attrapé un air de maladie. Mais le dieu de la Pluie et des Montagnes qui l'a rendue souffrante a le pouvoir de la guérir. Aide-moi à la transporter jusqu'à ce bassin. »

Tous deux allongent Miahualt sur le ventre et maintiennent sa tête au-dessus de l'eau. La Huéhué supplie :

« Ô toi, dieu de la Pluie, écoute, viens et dis-nous si cette fille doit guérir. »

Puis elle examine attentivement l'eau du bassin : le visage de Miahualt est à peine perceptible. Totomitl s'épouvante :

« On ne voit rien. Appelle encore une fois le dieu. »

---

1. Une charge de tissu est égale à vingt pièces de tissu.

La Huéhué invoque à nouveau :

« Je t'appelle, ô toi, dieu de la Pluie, viens nous dire l'avenir de cette fille gravement malade. »

Alors, dans le bassin, le reflet du visage de Miahualt se précise et devient bien distinct. La Huéhué a un soupir de soulagement.

« Elle va guérir.

— Tu en es certaine ? »

Sa grand-mère lui jette un coup d'œil sévère et assied Miahualt contre le tronc d'un arbre. Puis elle sort d'un cabas de palmier une bouillie de maïs mêlée avec de l'écorce de passiflore.

« Fais-la boire », ordonne-t-elle.

Pendant que le garçon maintient le bol contre les lèvres de la jeune fille, la Huéhué impose ses mains en disant :

« Je te le dis, toi, dieu de la Pluie, je veux guérir cette chair malade. Je t'appelle pour que tu apportes le remède. Viens, entre dans les sept cavernes[1] et chasse la douleur. »

Un long moment se passe. Miahualt ne bouge pas.

« Elle ne guérit pas ! s'alarme Totomitl.

— C'est le dieu qui tient son sort dans sa main. Je ne peux rien faire d'autre pour elle.

— Si je lui donnais encore un peu à boire ? suggère Totomitl.

1. Les poumons.

— Reste calme et laisse agir le dieu. »

Totomitl ferme les yeux et prie :

« Ô dieu tout-puissant, sois miséricordieux. Ne nous garde pas dans ta colère. Nous te ferons des statues en pâte d'amarante, nous les porterons en haut d'une montagne. Je n'ai rien d'autre à dire. »

Quand il ouvre les yeux, Miahualt ouvre les siens.

« Elle est sauvée ! s'écrie Totomitl, qui embrasse des dizaines de fois les mains de la Huéhué bien-aimée.

— Ne t'agite pas comme une chenille. Ramène-la chez elle. Il me tarde de retrouver la maison. »

Totomitl reprend Miahualt sur son dos. Elle somnole. De temps en temps, elle murmure :

« Tu es très gentil, Totomitl. Très gentil. Un vaillant guerrier très gentil. »

Sur le seuil de la maison de bambou, Totomitl s'arrête, ahuri. Les fleurs, depuis longtemps fanées, ont été piétinées, les deux coffres de roseaux renversés, les habits dispersés, le miroir d'obsidienne brisé, les poudres et teintures répandues sur le sol.

« Regarde, Miahualt, quelqu'un a saccagé ta maison. »

Miahualt sort de sa somnolence et se met debout.

Elle contemple le désordre en silence. Ses grands yeux paraissent encore plus sombres :

« Tu as un ennemi ? Quelqu'un te veut du mal ? demande Totomitl.

— Non, non. C'est peut-être un voleur.

— Il n'y a pas de voleur à Mexico. »

Miahualt reste songeuse. Totomitl s'impatiente.

« Mais enfin, réponds-moi ! Il y a certainement un motif à tout ce chambardement.

— Je ne vois pas lequel. »

Totomitl insiste.

« Peut-être était-ce pour récupérer quelque chose ? Tu n'as rien emprunté ? Rien dérobé ? »

Miahualt garde un silence glacé. Totomitl sent la colère le gagner devant le mutisme de son amie.

« Mais enfin réfléchis ! Ce sont des accidents qui n'arrivent pas à tout le monde ! Il y a certainement une raison. Ou alors tu me caches quelque chose. C'est bien ça ? Tu as un secret ?

— Tais-toi, tu me fatigues, répond Miahualt d'un ton sec. Je suis malade. Et puis va-t'en. Je n'aime pas qu'on me voie quand je suis laide. »

Totomitl suffoque d'indignation :

« À l'avenir, quand tu auras des ennuis, tu te débrouilleras toute seule ! »

Et il s'enfuit, furieux.

★

Pendant ce temps, Uemac regarde Moctezuma, debout sur la terrasse du palais, la tête levée vers le ciel, et demande à son oiseau :

« Oiseau-quetzal, pourquoi notre empereur bien-aimé s'inquiète-t-il toujours autant ? Qu'espère-t-il trouver dans le ciel toutes les nuits ? »

L'oiseau ne répond pas. Son maître commente son silence.

« Tu te tais à cause des prisonniers que les prêtres sont en train de sacrifier ! Tu ne t'habitueras donc jamais à l'odeur du sang ? Eh bien, là où je t'emmène, ce sera pire : cela sentira la pourriture. Que veux-tu, il nous faut retrouver Pantli qui n'est pas revenu voir son père. »

Et comme la nuit est très froide, le plumassier s'emmitoufle dans deux manteaux.

La ville est silencieuse. Des torches brûlent sur les portes des dignitaires, d'où sortent parfois de bonnes odeurs de nourriture et les exclamations joyeuses d'un banquet. Puis les rues deviennent plus sombres. La lune bleuit les canaux et les barques de couleur dodelinent doucement près des rives. De temps à autre, une silhouette furtive, sorcier ou enchanteur, longe les maisons à l'ombre de la lune.

La proximité du quartier des tanneurs dégage une

forte puanteur d'urine et d'excréments destinés au traitement des peaux. Quelques rares maisons sont encore éclairées de torches fumeuses. Bateliers et tanneurs discutent autour d'un brasero, ou bien écoutent une femme qui chante, ou bien jouent aux haricots.

« Ce doit être ici », dit Uemac à l'oiseau.

Comme il s'approche d'une porte, une forte femme apparaît, l'air rogue :

« Que veux-tu ?

— Je cherche un ami nommé Pantli. »

La femme met ses poings sur les hanches.

« Mais qu'est-ce que vous avez tous, à courir après ce Pantli ? Des gendarmes sont déjà venus le demander. Je ne le connais pas, et ne reste pas là. »

Uemac s'éloigne :

« Oiseau-quetzal, cette femme a menti. Je l'ai vu tout de suite sur son visage. Tu vas m'aider. C'est toi qui vas entrer dans la maison. »

À pas feutrés, il prend l'oiseau sur sa main et l'avance dans l'embrasure de la porte. L'oiseau fait un tour maladroit dans la petite pièce enfumée et revient sur la bosse de son maître. La femme réapparaît.

« Tu peux entrer. Je t'ai menti tout à l'heure et je ferai pénitence. Mais le pauvre malheureux me fend le cœur de tristesse. Il ne veut plus voir personne. »

Quatre bateliers entourent les deux joueurs.

Pantli lance les haricots et avance une pierre bleue. Puis un tanneur joue à son tour. Pantli reprend les haricots dans sa main. Il ne lui reste que deux pierres bleues à faire entrer dans la case d'arrivée. Mais il tire piteusement un petit chiffre. Le tanneur, au contraire, tire un grand chiffre et avance une pierre rouge.

« Je te rappelle, dit le tanneur, que si tu perds, ta dette double. Tu me devras une demi-charge de coton.

— Ne le trouble pas », chuchote Uemac.

Pantli rejoue et sort à nouveau un petit chiffre. Le tanneur, lui, en quatre coups met ses dernières pierres dans la case d'arrivée. Chacun se tait et regarde Pantli.

« Que vas-tu faire ? demande la femme. Tu n'as plus rien. Payeras-tu avec l'air du temps ? »

Pantli répond calmement :

« Je vais me vendre comme esclave.

— Tu n'as pas d'autre solution ? s'inquiète un batelier.

— Je ne peux rien demander à mon père. Il est trop intègre.

— Mais ne faites pas ces mines catastrophées ! s'exclame Uemac. Cela a beaucoup d'avantages d'être esclave. Tu n'auras pas d'impôts à payer, pas de corvées à faire pour l'empereur, et tu te marieras avec une belle femme libre. Après tout, ce n'était pas tellement amusant d'être fonctionnaire !

— C'est une triste fin pour un fils de guerrier ! Avoir un père... »

Uemac rétorque aussitôt.

« Hé, femme, qu'as-tu à t'indigner contre le sort ! Les honneurs sont comme l'eau qui s'écoule. L'homme né noble peut mourir esclave. Cela conviendra très bien à Pantli. Il sera débarrassé de toutes ces responsabilités qui accablent nos vies. D'ailleurs, où que l'on soit, l'important est de rendre beaux son visage et son cœur, a dit notre seigneur Serpent à plumes. »

Pantli paraît étrangement serein.

« Il me faudra un bon acheteur, se contente-t-il de dire à Uemac.

— Ne t'inquiète pas, je m'en occupe.

— Je ne veux pas revoir mon père. Tu lui expliqueras ?

— Ne t'inquiète pas, je te dis. Je m'occuperai de tout. »

La Huéhué se hâte sur le chemin du retour. Elle craint de rencontrer une de ces femmes-fantômes qui errent dans la nuit et jettent de méchants sortilèges. Sur la chaussée de l'Ouest sort d'une hutte de roseaux qui sert de latrines une silhouette sombre. La Huéhué baisse les yeux en avançant lorsqu'elle se sent transpercée par un mauvais regard. Courageusement, elle relève la tête. Devant elle brillent les yeux maléfiques de l'homme-hibou. Celui-ci la contemple longuement, en grommelant des paroles inaudibles. La Huéhué, effrayée, presse le pas. Puis une voix s'élève de la lagune.

« Hé ! L'homme-hibou, je t'ai cherché la moitié de la nuit. Dépêche-toi. Je t'attends dans le district des Moustiques. »

L'homme qui vient de parler est dans l'ombre. La vieille femme aperçoit seulement sa barque qui disparaît sous un pont de cèdre pour se diriger vers le sud de la lagune.

La Huéhué ne peut s'empêcher de craindre cette funeste rencontre. Pourquoi a-t-elle obéi à son petit-fils ? Il lui a vraiment dérangé le cerveau !

Lorsqu'elle s'approche de la Maison des dieux, la lumière des braseros et les prêtres qui font leurs offrandes d'encens sur les pyramides, la rassurent. C'est alors qu'arrive nonchalamment Uemac, tout réjoui, qui s'en revient du quartier des tanneurs.

« Mais voilà une vieille femme bien frivole ! Que fait-elle seule, au milieu de la nuit ? ironise-t-il.

— Quel malheur, Uemac ! J'ai agi contre les convenances.

— Te serais-tu promenée avec un vaillant guerrier, comme une courtisane ?

— Je vais devoir me confesser.

— C'est grave, alors, conclut le bossu en riant. Mais est-ce bien raisonnable ? Tu auras certainement d'autres occasions de te conduire comme une folle. Que feras-tu après ? On ne se confesse qu'une fois dans sa vie.

— Un homme-hibou m'a certainement jeté un mauvais sort. »

Uemac, toujours curieux, s'empresse de s'informer.

« Et lui, que faisait-il ?

— Je l'ignore. Un jeune homme lui a donné rendez-vous au district des Moustiques. Certainement pour une méchante affaire. »

Uemac la console :

« Je vais te raccompagner, Huéhué, jusqu'à ta maison. »

Puis s'adressant à son confident, il ajoute :

« Oiseau-quetzal, tu n'as pas de chance cette nuit. Cette fois-ci nous irons sentir l'odeur de la vase. »

Dans une barque, Uemac tend l'oreille pour entendre la conversation qui se déroule dans la cabane de l'homme-hibou.

« Je suis déjà venu te voir, dit la voix d'un jeune garçon.

— Je le sais bien. Je n'oublie jamais un visage, répond la voix cassée du sorcier.

— Tu m'as dit qu'une femme se vengerait de moi.

— Je t'ai dit cela, en effet.

— Tu m'as donné de l'herbe-scorpion pour me défendre. Et je l'ai perdue.

— Tant pis pour toi. Je ne t'en donnerai pas d'autre. On ne perd pas du poison comme un grain de maïs. »

Le garçon insiste :

« Je l'ai cherchée partout dans la maison de bambou où elle était certainement. Mais elle n'y est plus. »

Le sorcier a un bref ricanement.

« Alors prépare-toi à souffrir. »

Après un silence, le jeune garçon devient menaçant :

« Tu sais ce qui s'est passé sur la montagne de Tlaxala ? Bientôt les dieux descendront sur la terre pour anéantir le peuple du Soleil. »

L'homme-hibou se met en colère :

« Pauvre malheureux qui se croit plus malin que moi ! Tu t'imagines mieux connaître les signes du destin que le meilleur sorcier de la ville ? Sors d'ici,

insolent, effronté, bavard prétentieux, épine de cactus !

— Je me vengerai d'elle autrement ! » s'écrie le garçon furieux en se précipitant dehors.

À peine a-t-il fait deux pas sur l'embarcadère bancal qu'il reçoit un violent coup de rame sur la tête. Étourdi, il chancelle et tombe à l'eau. Dans sa barque, Uemac exulte et brandit à nouveau sa rame.

« Qui est la fille dont tu veux te venger ? Dis-le-moi ou je t'assomme. »

Calmecahua s'ébroue, retrouve sa respiration et se moque de son adversaire.

« C'est l'affreux bossu qui se prend pour un redoutable guerrier ! »

Indifférent aux menaces d'Uemac, le Tlaxaltèque s'approche de la barque et appuie fortement sur un bord. La pirogue tangue, Uemac s'affole, l'embarcation chavire. Rapide comme une couleuvre, Calmecahua remonte dans sa pirogue et s'éloigne en criant :

« Est-ce que ta bosse te permet de flotter ? »

Uemac s'empêtre dans ses deux manteaux et ses belles sandales alourdis par la vase. L'oiseau pousse des cris effrayés.

« Au secours ! Au secours ! » crie le bossu.

L'homme-hibou relève le rideau de sa porte.

« Ah ! c'est toi, le plumassier de l'empereur ! Si je te tire de là, me rendras-tu un service ? »

Uemac fait la grimace.

« Quel service ? murmure-t-il d'une voix honteuse et pitoyable.

— Demande à l'empereur de faire appel à moi. »

De stupéfaction Uemac boit la tasse. L'eau vaseuse a un goût si détestable que le plumassier balbutie :

« Je mange la terre. »

L'oiseau-quetzal, qui désapprouve cette promesse, pousse de longs cris courroucés.

8

Les rêves de Xochipil

La Huéhué s'incline devant le prêtre du livre des destins.

« Je suis venue le jour que tu as fixé », dit-elle en lui offrant un dindon attaché par les pattes et dont les ailes battent fébrilement.

Le prêtre-devin confie l'animal à une servante qui disparaît dans la cour.

« Entre, chère vieille, et assieds-toi », dit-il en montrant une natte près du foyer.

Le prêtre jette de l'encens dans les flammes, et une bonne odeur se répand dans la pièce.

« Ô toi, vieux dieu du Feu, voici une pauvre femme... Elle vient en pleurant, triste, angoissée.

Peut-être a-t-elle commis des fautes. Fais cesser sa peine, pacifie son cœur. »

La Huéhué s'agenouille, met un doigt dans la poussière et le porte à ses lèvres :

« Je viens me confesser à la déesse "mangeuse d'ordures[1]". Je promets de dire la vérité. »

Le prêtre parle d'un ton agréable et paisible :

« Quand tu es née, tu étais comme une pierre précieuse et comme un bijou d'or resplendissant. Mais ensuite tu as commis des fautes dont tu veux te délivrer. Parle sans te presser, avec clarté, comme celui qui va droit son chemin. Tout ce que tu me diras sera gardé secret. »

La Huéhué explique lentement tous ses manquements aux règles de la maîtrise de soi et de l'humilité. Le prêtre-devin l'écoute avec attention. Une ombre passe sur son visage tranquille lorsque la Huéhué relate sa rencontre avec l'homme-hibou. Lorsqu'elle a fini de parler, il déclare :

« Maintenant tu es purifiée de tous tes péchés. Tu es redevenue comme un nouveau-né, comme une pierre précieuse resplendissante. En pénitence tu te perceras la langue avec une épine d'agave le jour de la fête de "la mangeuse d'ordures". Va en paix. Je n'ai rien d'autre à dire. »

---

1. La déesse de la Confession, Tlazolteotl, est en même temps la déesse des Désirs. On ne se confesse qu'une fois dans sa vie.

La Huéhué se relève, souriante, se sentant comme un bijou tout neuf. Lorsqu'elle franchit le pas de la porte, le prêtre ajoute :

« Il serait sage que ta petite-fille entre dans le collège religieux dès la nouvelle année. »

La Huéhué se retourne, alarmée :

« Elle ne devait y aller qu'à l'âge de quinze ans. Que se passe-t-il ?

— J'ai vu dans le livre des destins un signe étrange la concernant.

— Un danger ?

— Elle doit être protégée pour une mission importante aux dieux. »

La Huéhué est ahurie.

« Tu connais le petit joyau, elle porte dans son cœur notre seigneur Serpent à plumes. Qui peut lui vouloir du mal ?

— C'est un signe obscur que je ne comprends pas. Mais garde-la bien jusqu'à ce qu'elle devienne prêtresse. »

En sortant, la Huéhué traverse le petit marché près de la pyramide du temple de quartier. Elle a le cœur rempli d'inquiétude. Faut-il qu'une chose bien surprenante attende sa petite-fille pour que le prêtre lui-même ne sache pas la comprendre !

Lorsque les conques mugissent au coucher du soleil, le père entre, l'air préoccupé, dans sa maison. Sur le brasero cuisent des têtards et des crevettes d'eau douce.

« Ah ! Te voilà, dit sa femme. Tu reviens tard.

— J'ai à vous parler. Asseyez-vous. »

Chacun s'installe sur une natte. Le père se tourne vers Xochipil.

« Ma fille, écoute ce que j'ai à te dire parce que je suis ton père, même si ce que je fais, je le fais avec beaucoup de fautes, même si je parle d'une manière fruste. Tu es ma fille, mon collier de perles fines, mon plumage de quetzal, mon sang, aussi j'ai parlé de toi avec le chef du quartier et le conseil des vieillards qui l'entourent. Ils ont entendu le prêtre-devin, ta grand-mère, le plumassier Uemac, et ils ont conclu que tu traversais une période néfaste. »

Xochipil rougit. Le père continue son propos.

« Aussi nous avons décidé qu'au début de la prochaine année, l'année un-roseau, tu entreras comme prêtresse dans la maison religieuse du dieu Serpent à plumes. C'est à lui que tu as été consacrée enfant, lorsque nous avons donné au temple de l'encens et trois dindons.

— C'est une catastrophe, gémit la mère. Qui m'aidera à surveiller le champ de maïs au printemps ?

— Et en attendant la nouvelle année, qui protégera le petit joyau, la plume riche ? s'inquiète la Huéhué.

— Le conseil des vieillards et le chef du quartier ont accepté la proposition du plumassier Uemac. Elle ira sur la colline de la Sauterelle, dans le palais de l'empereur. Elle apprendra à peindre à ses femmes. »

Le visage de Xochipil blêmit et des larmes lui montent aux yeux.

« Je ne veux pas vous quitter. J'aurai peur là-bas, toute seule, avec les seigneurs et les belles femmes de notre empereur. »

Le père la regarde avec gravité :

« On vit difficilement sur la terre. Mes épaules ont eu bien des choses à supporter pour acquérir le nécessaire à ton existence. Aussi n'agite point nos cœurs par de vains soucis. Tu iras au palais de l'empereur à la date fixée par le prêtre devin : trois jours avant la fête des drapeaux de plumes. En attendant tu ne quitteras pas la maison. Je n'ai rien d'autre à dire.

— Mon cher père, chuchote Xochipil en retenant ses larmes, moi qui suis ton bijou et ta plume, tu as toujours été bienveillant avec moi. Je te promets de ne plus troubler ton cœur par mes sottes paroles. »

Le père se lève pour aller nourrir les dindons.

Xochipil fronce les sourcils et va pleurer doucement sur l'épaule de la Huéhué.

« Ma petite-fille, ma colombe, ma tourterelle, chasse ta tristesse. Sur la terre, il y a de la joie mêlée à du chagrin. Les dieux nous ont donné le courage pour nous aider. Et la nourriture, le sommeil, la tendresse et le rire. Allez, ris ma petite colombe ! »

C'est jour de grand marché à Tlatelolco. La foule est considérable. Dans l'allée qui leur est réservée, les esclaves des territoires conquis sont somptueusement habillés par leurs vendeurs : riches manteaux et pagnes brodés, boucles d'oreilles et labrets, belles jupes et chemises pour les femmes parées de guirlandes de fleurs. Tous dansent au son du tambour. Les esclaves libres ont revêtu aussi de beaux vêtements et dansent joyeusement. Seul Pantli, pieds nus, vêtu de son seul pagne en fil d'agave, n'a fait aucun effort de toilette.

« Sois content, lui dit Uemac, tu vas devenir "un fils bien-aimé" du dieu de la Guerre. C'est un grand honneur qui t'est réservé. »

Mais Pantli reste préoccupé.

« Sais-tu si mon père doit venir se promener au marché ?

— Non. Il assiste au conseil de l'empereur. Mais souris, sinon personne ne voudra t'acheter. »

Totomitl arrive de son pas léger.

« J'ai un moment de liberté pendant que les guerriers font le marché. »

Puis se tournant vers Pantli il ajoute :

« Tu n'auras plus de soucis. Personne n'ose réprimander un esclave par peur de la colère du dieu.

— Tu as bien compris, dit Uemac en s'adressant à Totomitl. Tu expliques combien il est fort, infatigable, fidèle, et que ta parole est celle d'un valeureux guerrier.

— Ne me prends pas pour un écervelé. Je sais ce que j'ai à dire. »

Totomitl regarde dans l'allée la foule qui déambule et s'impatiente.

« Mais que fait-il ? Je ne le vois nulle part. Tu es certain qu'il doit venir ?

— Oui, oui, répond Uemac. Il m'a bien promis de convaincre son père. »

Au même moment, un homme au visage très allongé et aux lèvres épaisses s'approche de Pantli.

« Tu es bien bâti et vigoureux, dit-il avec un fort accent du Sud.

— Il est olmèque[1], chuchote Uemac.

— C'est une catastrophe, répond Totomitl.

1. Les Olmèques habitent au sud des hauts plateaux, au bord du golfe du Mexique.

Pantli déteste la chaleur. Mais que fait donc Chimali ? »

L'Olmèque examine Pantli avec un sourire de satisfaction. Uemac et Totomitl se jettent des regards alarmés. Totomitl chuchote quelques mots à l'oreille du plumassier qui semble atterré.

« Je ne peux pas faire une chose pareille. Tu comprends, c'est mon cœur que je peins avec mes plumes et, s'il y a un mensonge dans mon cœur, je ne pourrai rien créer de beau. Je n'aurai plus qu'à me noyer dans la lagune car je n'oserai plus jamais prier notre seigneur Serpent à plumes, lui qui s'est couvert de beauté pour monter jusqu'au ciel, lui qui...

— Ça va, ça va, dit Totomitl. Je m'arrangerai avec les dieux en faisant pénitence. »

Plein d'assurance, il s'approche de l'acheteur olmèque :

« Cet esclave est fort mais il est très vite fatigué.

— Ah bon ! s'étonne l'Olmèque. Que veux-tu dire ?

— Je veux dire que quand il danse, il est essoufflé au premier mugissement de conque. »

Le marchand reste un moment perplexe, puis déclare :

« Je ne l'achète pas pour danser, mais pour transporter du caoutchouc. Il est fort et bien bâti. Il fera l'affaire.

— C'est qu'il y a autre chose, insiste Totomitl. Il est paresseux. »

Pantli est stupéfait par l'attitude du jeune guerrier. Se peut-il que même son ami l'abandonne ?

Totomitl, inflexible, ajoute :

« Il aime tant la chaleur que dès qu'il y a du soleil, il se couche comme un lézard.

— Peu importe ! Il travaillera sous la pluie. Il pleut souvent dans mon pays. Que veux-tu, ce garçon-là me plaît. Et puis peut-être te moques-tu de moi ?

— Tu m'accuses de frivolité ! s'indigne Totomitl. De mensonge peut-être ? Sais-tu que je suis un vaillant guerrier, un *téquia* qui a déjà fait quatre prisonniers ? »

Le marchand paraît ébahi. Totomitl profite de son avantage :

« Allons voir les juges du marché. Devant eux tu répondras de tes scandaleuses accusations envers un guerrier du peuple du Soleil. »

Abasourdi, l'acheteur olmèque grommelle :

« C'est bon, c'est bon, j'en achèterai un autre. »

Il s'éloigne pour examiner d'autres esclaves.

« Le voilà ! » s'exclame Uemac soulagé.

Au bout de l'allée apparaissent en effet, pieds nus, vêtus de leurs manteaux loqueteux, Chimali et son père.

« Père vénéré, dit Chimali, ne veux-tu pas acheter un esclave ?

— C'est inutile. J'ai déjà acheté tous ceux que nous sacrifierons pour la fête des bannières de plumes.

— Un esclave qui travaillerait dans la maison ? suggère Chimali.

— Nous en avons déjà bien assez. »

Chimali s'entête.

« Pourtant nous n'avons pas de neige à offrir pendant nos banquets.

— Que veux-tu dire ?

— Qu'au prochain festin que tu donneras, il serait agréable que la neige rafraîchisse les boissons. »

Le père s'arrête de marcher.

« Comme chez les dignitaires ? Tu crois cela vraiment indispensable ?

— Puisque tu invites toujours de grands guerriers, cela leur fera certainement plaisir. J'aperçois là un esclave dont on dit qu'il n'est jamais fatigué et qui pourrait aller chercher de la neige sur les volcans. »

Chimali montre Pantli que le père dévisage un moment.

« N'est-ce pas le fils du Gardien-De-La-Maison-Noire ?

— Si », répond piteusement Chimali.

Le père a un bon rire.

« Tu n'avais qu'à me dire que c'est un de tes amis. L'amitié est une pluie de fleurs précieuses. On m'a appris que le pauvre garçon est né sous un bien mauvais signe. »

Puis il s'adresse à Pantli :

« Il faut traiter avec douceur ceux que le sort rend malheureux. Je t'achète pour une charge de coton. Tu seras comme un de mes enfants. Si tu le désires, tu épouseras une femme libre, tes enfants naîtront libres et tu pourras racheter ta liberté quand tu le voudras. »

Et à son fils :

« Va chercher quatre témoins âgés et dignes de foi pour établir le contrat. »

L'acheteur olmèque, qui de loin a entendu la conversation, se rapproche.

« Je disparais comme une couleuvre, chuchote Totomitl à Uemac. Sinon je vais me retrouver encore une fois devant le tribunal du marché. »

Après un sourire complice à Pantli, il se fond dans la foule. L'acheteur olmèque se dresse devant Uemac.

« Ton camarade s'est moqué de moi et a montré, une fois de plus, le mépris avec lequel le peuple du Soleil traite les habitants des provinces.

— C'était une raillerie, juste pour s'amuser », explique Uemac, un peu confus.

Le père de Chimali vient au secours des jeunes gens.

« Si on s'est moqué de toi, je t'aiderai, étranger. Les guerriers sont souvent très insolents. Il faut leur pardonner car ils risquent leur vie pour assurer le mouvement du Soleil. Je vais t'aider à choisir un autre esclave.

— J'hésite pour celui-là, ce bel homme olmèque. Au moins, il sera habitué au climat des Terres chaudes.

— Tu as bien choisi, étranger. Il a de longues jambes et une forte carrure. »

Avant de le donner à l'acheteur olmèque avec qui il établit le contrat, le vendeur de l'esclave lui enlève aussitôt tous ses beaux vêtements.

L'incident réglé, le père de Chimali retrouve son sérieux.

« Maintenant, je dois régler mes affaires. Viens avec moi, fils. »

Et, sous les arcades, il crie :

« J'annonce un prochain voyage dans les Terres chaudes, après la fête des bannières de plumes. Qu'autour de moi se rassemblent ceux que tente cette aventure. »

Au bout du marché, Totomitl s'apprête à rejoindre les jeunes guerriers lorsqu'il se retrouve en face de Miahualt. La tête toujours fière, le visage amaigri mais d'une belle couleur jaune, les dents bien rouges et les cheveux relevés en deux petites cornes, elle lui sourit en chantant :

« Prends encore du plaisir, donne encore de la joie, que le charmant seigneur porte de jolies fleurs. »

Totomitl a le cœur bouleversé de sentiments contradictoires mais la colère prédomine au souvenir de leur dernière rencontre :

« Tu n'as qu'à les offrir à celui qui a saccagé ta maison », répond-il sèchement.

Miahualt le regarde s'éloigner avec une moue triste et ses grands yeux se couvrent de brume.

Tout en marchant avec les jeunes guerriers, Totomitl songe qu'il s'est conduit comme un idiot. Il faut tout de suite expliquer à Miahualt qu'il l'aime toujours.

« Allez au collège, crie-t-il à ses compagnons. Je vous retrouverai là-bas. »

D'un pas rapide, il rejoint l'allée des fleurs. Dès qu'elle l'aperçoit, Miahualt détourne la tête et s'adresse à un guerrier valeureux, portant deux manteaux brodés :

« Fleuris-toi, noble seigneur, achète mes jolies fleurs pour deux amandes de cacao. »

Et elle lui lance une œillade. Le guerrier enchanté prend le bouquet, le respire longuement et demande :

« Viendras-tu danser, cet après-midi ?

— Volontiers », répond Miahualt, en souriant de toutes ses dents rouges.

Totomitl se précipite vers la jeune fille.

« C'est moi que tu dois épouser. Tu n'as pas à sourire, comme cela, à tout... »

Miahualt l'interrompt sèchement :

« Tu es un prétentieux, qui se fâche et cherche querelle pour tout. J'ai dit que je t'épouserais un jour où j'étais joyeuse, où la lune était pleine. Maintenant j'ai changé d'avis.

— Tu dis des absurdités. »

Miahualt se détourne et chante :

« Achetez mes fleurs, mes jolies fleurs, pour vos maris, pour vos fils, pour vos pères... »

Totomitl repart comme un fou triste.

Dans la Maison des oiseaux, trois jours avant la grande fête de l'hiver, Uemac, rayonnant de joie, court de tous côtés. L'oiseau-quetzal, fatigué par cette agitation, repose sur un perchoir et pousse de petits cris joyeux en apercevant Xochipil. Elle est toute pâle.

« Uemac, mon ami précieux, j'ai à te parler.

— Ma petite colombe, ne fronce pas les sourcils

aujourd'hui, car je n'ai pas de temps pour les soucis. C'est bientôt la fête des bannières de plumes. »

Xochipil insiste :

« Uemac, mon véritable ami, j'ai fait un rêve étrange. J'ai vu des collines flottantes qui marchaient sur l'eau jusqu'à Mexico. »

Uemac ajuste des plumes sur une tige de roseau.

« Tu rêves des choses folles !

— Mes rêves ne me trompent jamais. »

Uemac rit.

« Les dieux ont certainement changé d'avis à ton sujet et t'envoient maintenant des rêves qui te trompent. Car je vois mal la colline de la Sauterelle voguer sur l'eau comme une fleur, ou comme un poisson, ou comme un canard.

— Tu ne me prends pas au sérieux !

— Non, et je te conseille d'être raisonnable car on va venir te chercher pour t'emmener au palais.

— Tu ne m'accompagneras pas sur la colline de la Sauterelle ?

— Je suis débordé, ma tourterelle. J'ai toutes ces bannières à faire. Regarde plutôt celle-là, jaune et verte avec ce gros soleil orange au milieu. Dis-moi que c'est très beau. J'y ai dessiné le bonheur.

— J'ai peur d'aller là-bas !

— Tu seras très contente. Tu vas voir comme c'est magnifique le palais sur la colline. Il y a les plus beaux arbres de l'empire, les plus beaux rochers, les plus belles fontaines, les plus beaux animaux de toutes les provinces, les plus belles fleurs.

— Je préférerais entrer au temple du Serpent à plumes.

— Patience, plume précieuse, patience. En attendant, tu vas instruire les concubines de notre empereur, qui sont souvent très ignorantes. »

Les conques et les tambours annoncent la moitié de la matinée.

« Dire que je n'ai même pas le temps d'aller boire un cacao à la vanille ! » soupire Uemac qui se remet au travail.

Xochipil se sent terriblement seule, livrée à ses craintes et ses soucis. L'oiseau-quetzal qui devine sa détresse vient se poser sur son épaule pour la consoler.

« Merci, bel oiseau », murmure-t-elle, en ravalant ses larmes.

★

Dans une grande pièce, les épouses secondaires de Moctezuma brodent et bavardent en se racontant des histoires sur les dignitaires et leurs épouses, tandis que courent les plus jeunes des cent cinquante enfants de l'empereur.

Mal à l'aise dans ce tourbillon, Xochipil s'est réfugiée dans un coin. Elle se réconforte en peignant le dieu auquel elle est consacrée. Une jeune concubine s'approche d'elle et admire le glyphe[1].

« Qui est-ce ? demande-t-elle.

— Tu ne connais pas notre seigneur Serpent à plumes ? s'étonne la petite fille.

— Oh ! non, s'exclame joyeusement la concubine. Il y a tant de dieux à Mexico que je m'y perds.

— D'où viens-tu ?

— Je viens d'Oaxaca, au climat doux comme un duvet d'oiseau. Qui est le Serpent à plumes ?

— C'est le roi-prêtre de Tula, la capitale des Toltèques. C'est lui qui a inventé les arts, l'écriture, le chant, tout ce qui embellit le monde.

— Comment vivait-il ? »

Xochipil est soulagée de parler de son dieu.

« Il avait quatre maisons : une d'émeraude, une d'or, une de coquillage rouge et la dernière en nacre. Tout le monde était heureux à cette époque. Dans les champs, le coton poussait de toutes les couleurs, les maïs étaient très, très hauts et personne n'avait faim. Le roi ne faisait jamais de sacrifices humains : il ne sacrifiait que des serpents et des papillons.

— Que lui est-il arrivé alors, si tout allait bien ? demande la concubine.

— Un grand malheur, à cause du dieu de la Guerre qui lui a envoyé des sorciers. Ceux-ci l'ont

1. Le glyphe désigne le dessin codé qui sert de caractère à l'écriture aztèque.

enivré et dans son ivresse le roi n'a plus obéi aux commandements des dieux.

— Et ensuite ?

— Alors le Serpent à plumes s'est mis à pleurer. Il a dit : “Je suis un malheureux écrasé de tristesse. Je vais quitter la ville.” Il a erré des mois sur les hauts plateaux. Enfin, une année un-roseau, il est arrivé sur le littoral des Terres chaudes. Alors il a revêtu sa parure en plumes de quetzal, son masque de turquoises et il a annoncé qu'un jour il reviendrait. Puis il est monté dans un bateau et a disparu sur la mer divine, du côté où le soleil se lève.

— Tu crois qu'il reviendra ? interroge la concubine.

— Comment le saurais-je, moi qui ne suis qu'une petite fille ignorante, alors que les prêtres eux-mêmes ne le savent pas ? »

Le jour de la fête des bannières de plumes, dans le merveilleux jardin de l'empereur, Xochipil entend des bribes de chants et de musique. Elle monte sur un rocher pour apercevoir la lagune qui étincelle au soleil. À ses pieds, près du rivage, défilent les esclaves offerts par les marchands. Ils sont richement parés de boucles d'oreilles, de manteaux brodés, de fleurs autour du cou et se dirigent vers la colline de la Sauterelle. Ils s'arrêtent devant la pyramide du village sur laquelle certains sont sacrifiés. Puis ils repartent, derrière l'image du dieu, par la chaussée de l'Ouest, vers le grand temple de Mexico où ils vont être offerts au dieu du Soleil. De loin, Xochipil aperçoit, comme de gros papillons multicolores posés sur les pierres, les immenses bannières de plumes qui s'agitent doucement sous le vent. Elle se sent fatiguée.

« Je deviens comme ma mère, songe-t-elle, j'ai envie de dormir pendant la journée. C'est que je m'ennuie tellement ici ! »

Elle s'installe sous un grand sycomore, s'allonge sur un parterre de mousse et s'endort.

Après un profond sommeil, elle rêve qu'un être humain monstrueux avec une tête d'homme et une tête de femme s'approche pour la fixer de ses quatre yeux. De frayeur elle se réveille. Elle a dormi longtemps car la lagune resplendit des feux du couchant. Les volcans enneigés passent en peu de temps d'une couleur de flamme à un bleu profond et menaçant.

Xochipil frissonne. Elle a froid et se hâte de rentrer au palais. Soudain, dans le bois de sycomores, surgit le monstre aperçu dans son rêve, avec deux têtes sur un seul tronc. La petite fille croit à une hallucination, et courageusement tend la main vers l'étrange apparition. Alors l'homme à deux têtes lui attrape le poignet et le serre énergiquement.

Xochipil tente en vain de se dégager. Affolée, elle se met à courir, mais le monstre ne lâche pas son bras et court à côté d'elle. En la voyant passer, avec son effrayant compagnon, les jardiniers, les centaines de serviteurs chargés de nourrir les animaux, les cuisiniers, les bouffons s'enfuient en poussant des cris.

Oubliant d'enlever ses sandales, Xochipil se précipite dans la salle où dîne l'empereur. Les serviteurs et les dignitaires sont trop stupéfaits pour l'arrêter. Xochipil se précipite vers le paravent en or qui cache l'empereur aux yeux de l'assistance. Mais dès qu'elle se retrouve devant Moctezuma, le monstre disparaît brusquement. Xochipil, éperdue, se jette à genoux et sanglote :

« J'en ai rêvé, j'en ai rêvé et puis je l'ai vu, je l'ai vu et il m'a attrapée ! »

L'empereur est mécontent, les dignitaires abasourdis. Après un silence, le Serpent-femme, vêtu de son manteau noir et blanc, ordonne :

« Cette enfant est trop troublée. Qu'on la raccompagne à sa chambre. Je raconterai à notre vénérable empereur ce que nous avons vu. »

Quelques jours plus tard, Chimali s'affaire dans la maison de son père. Il aide à débarquer les canots qui apportent cent dindons, vingt chiens, du maïs, des piments, des haricots, des poissons, des fruits, des gousses noires de vanille, et du miel pour le grand banquet du soir. Toute la maison retentit des bruits du cacao qu'on écrase dans les carapaces de tortues, des broyeurs de maïs, des dindons qu'on égorge. De temps à autre Chimali s'esquive pour plonger dans l'eau du canal.

« Mais viens aider, Chimali, ordonne sa mère.

— Je me baigne pour toutes les semaines à venir. Tu ne sais pas combien c'est pénible de ne pas avoir le droit de se laver en voyage.

— Ne cherche pas d'excuse. Ce voyage n'est pas encore décidé. Dépêche-toi de venir éplucher les ananas. »

Quand les conques sonnent « un peu avant minuit », la famille se réunit autour d'un prêtre. Devant un grand tambour il transperce une caille et la jette sur le sol. Sous les regards inquiets de l'assistance, l'oiseau se débat en de nombreux soubresauts. Enfin la caille s'immobilise, la tête tournée vers le sud. La famille murmure de soulagement. Chimali lève un poing en signe d'allégresse. Son père, plus mesuré, conclut :

« Notre protecteur n'est pas en colère, il n'est pas fâché contre moi. Nous pouvons partir vers le Sud.

— Nous partirons un jour un-serpent ? lui demande Chimali.

— Ne pose pas de sotte question. Nous partirons

évidemment en ce jour de chance pour les marchands. »

Le prêtre prend un encensoir et offre l'encens aux quatre points cardinaux. Puis le père, Chimali, ses frères et ses sœurs se piquent l'oreille avec une épine et lancent quelques gouttes de sang dans le feu. Enfin sur un plateau de bois peint, le marchand offre des fleurs au dieu du Soleil et au Seigneur du nez[1].

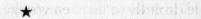

Totomitl trépigne d'impatience avant le banquet du marchand où sont invitées des courtisanes. Miahualt viendra-t-elle ? Et si elle vient, sera-t-elle toujours en colère ? Pourquoi donc s'est-il montré si violent dans la maison de bambou, si jaloux sur la place du marché ? Il regrette sa conduite, il souffre de l'attente et surveille la lune qui monte trop lentement dans le ciel.

Dès minuit il court vers le district de Tlatelolco et arrive le premier dans la maison toute fleurie. Bientôt le suivent les grands guerriers dans leurs beaux manteaux, la famille, les voisins et les marchands qui, en cette occasion rare, ont mis les bijoux donnés par l'empereur pour leur mérite. Dans un

1. Le Seigneur du nez est le dieu des Négociants.

tumulte de rires débarquent les courtisanes qui se moquent d'Uemac.

« Ton oiseau-quetzal t'a abandonné ? demande l'une.

— Il n'aime plus ta bosse ? » suggère une deuxième.

Uemac s'indigne :

« Cessez de dire des paroles cruelles. Mon oiseau a l'odorat délicat. Il ne supporte pas la fumée du tabac qui abîme sa voix. »

Des petits groupes bavardent. Totomitl cherche à croiser le regard de Miahualt qui garde une expression énigmatique.

« Uemac, que signifie son visage ?

— Il veut dire qu'elle est incapable de lire dans son cœur, qui est troublé comme l'eau agitée par le vent.

— Cela peut durer longtemps ?

— Qui peut prévoir les caprices du vent ? » ironise Uemac.

Lorsque le Gardien-De-La-Maison-Noire et les vénérables vieux marchands sont installés, après s'être lavé les mains et la bouche, Chimali va chercher Pantli qui ouvre d'épaisses cruches recouvertes de fibres de roseaux.

« Viens vite. C'est le moment d'apporter la neige avec le cacao à la vanille. »

Pantli s'affole :

« Je ne veux pas, je ne peux pas me présenter en esclave devant mon père.

— J'apporterai la neige moi-même », conclut Chimali, compréhensif.

Pendant que les invités dégustent le cacao bien frais, l'hôte prend la parole.

« Mes seigneurs et amis, c'est un moment heureux que votre venue dans ma pauvre maison. C'est un pauvre marchand qui vous parle, peu expert dans l'art du langage et qui vous fera un bref discours.

— Ce sera long », murmure Totomitl à Uemac.

Sans écouter la rhétorique fleurie, le guerrier surveille Miahualt qui joue avec un bouquet de fleurs.

Lorsque le discours est enfin terminé, le Gardien-De-La-Maison-Noire parle à son tour :

« Notre hôte bien-aimé, nous te remercions pour tes bonnes paroles. Que les dieux protègent ton voyage, et qu'ils protègent aussi nos guerriers qui partiront en guerre au début de l'année un-roseau pour mater une révolte dans le Sud, du côté où le soleil se couche[1].

— Voilà une bonne nouvelle, murmure Totomitl au plumassier.

— Tais-toi donc et écoute. »

1. Sur la côte de l'océan Pacifique.

Mais le Gardien-De-La-Maison-Noire n'est pas bavard, et s'empresse de conclure :

« Je souhaite à tous de vivre longtemps sur cette terre. Je n'ai rien d'autre à dire. »

Pour commencer le repas, les serviteurs apportent, mélangés à du miel, de petits champignons noirs d'Oaxaca, les « champignons divins », qui enivrent et donnent d'étranges images. Les plats sont nombreux et abondants, pour que ceux qui le désirent puissent rapporter de la nourriture chez eux. Puis, dans une douce ivresse, les guerriers dansent avec les courtisanes et les filles de la maison, tandis que les marchands chantent.

Miahualt sourit enfin. Mais elle sourit à tout le monde et le cœur de Totomitl navigue du bonheur au désenchantement.

Vers la fin de la nuit, sous l'effet de la fatigue et des champignons noirs, chacun se laisse aller à ses visions.

Totomitl voit Miahualt prendre un bain dans une rivière et se laver longuement les cheveux. Des courtisanes viennent lui peindre en jaune le visage et couvrir ses bras et ses jambes de plumes rouges. Puis apparaissent dans la nuit beaucoup d'hommes et de femmes, des flambeaux à la main. En tête du cortège marchent son père et sa mère. La Huéhué porte sur son dos Miahualt couverte de plumes. Le cortège arrive enfin devant une maison éclatante de blancheur, où Totomitl tient un encensoir. Alors tous entrent en chantant et en dansant.

Totomitl secoue la tête et sort de sa rêverie. Autour de lui, les uns rient, d'autres pleurent, d'autres se racontent leurs songes. Miahualt, toute proche, avance vers lui son beau visage et sourit malicieusement :

« Qu'as-tu rêvé ?

— J'ai rêvé qu'on se mariait tous les deux. Et toi ?

— Moi aussi, bienheureux guerrier, j'ai rêvé que j'entrais dans ta maison pour devenir ta femme. »

9

Les collines flottantes

Après les cinq jours néfastes qui ont séparé l'année treize-lapin de l'année un-roseau[1], debout sur la terrasse du palais, Moctezuma contemple Mexico. L'empereur songe au cher petit peuple qui lui a été confié lorsqu'il a été élu par le collège des dignitaires et la volonté du dieu du Soleil. Il songe à ses guerriers qui s'en vont, là-bas, sur la grande chaussée du Sud, restaurer la paix de l'empire du côté où le soleil se couche. Il songe surtout à la question que se posent les prêtres : en cette année un-roseau, le Serpent à plumes reviendra-t-il pour se venger du dieu

1. 1519.

de la Guerre qui l'a chassé de Tula ? Ces signes étranges, le tourbillon de poussière sur la montagne de Tlaxala, l'homme à deux têtes qui disparut si soudainement, sans compter la comète dans le ciel et la grande tempête qui secoua le lac quelques années plus tôt, annoncent-ils le retour du dieu ?

Les odeurs et les bruits familiers, qui animent à nouveau la lagune après les jours néfastes, apaisent Moctezuma. Car tout à ses pieds, temples, pyramides, forts, marchés, jardins, terrasses, saules et peupliers, et le petit peuple qui s'active dans les rues et les canaux, tout montre au contraire la puissance, la richesse, la beauté de Mexico. Pourtant, au plus profond du cœur de l'empereur, sommeille l'obscure crainte de l'année qui commence.

C'est le printemps. Les paysans défrichent et labourent la terre. Puis les femmes sèment le maïs et surveillent les plantations pendant que leurs maris accomplissent les corvées du service impérial.

Dans la Maison des oiseaux, Uemac prépare une jupe de plumes pour la prochaine fête lorsque l'oiseau-quetzal pousse un cri qui le distrait de son travail.

« Chimali ! Mon joyeux ami ! Comment s'est passé ce voyage ? »

Sur le visage, ordinairement serein de Chimali, passent toutes sortes d'émotions qui avivent la curiosité naturelle d'Uemac.

« Vous avez fait de très mauvaises affaires, comme d'habitude ? suggère le plumassier prudemment.

— Comme d'habitude.

— Et ton père ira donner les nouvelles directement à l'empereur ?

— Comme d'habitude. »

Un petit silence s'installe entre les deux garçons. Chimali s'efforce de se taire, quoique ses yeux pétillent de l'impatience de parler. Uemac est très intrigué. Il s'agit certainement de choses extraordinaires car Chimali est encore couvert de poussière et n'a pas pris le temps de se laver dans un canal. Enfin, ne supportant plus l'attente, Uemac déclare précipitamment :

« Je mange la terre et te promets le secret. »

En toute hâte il empoigne le jeune marchand par le bras et l'entraîne à l'écart sous une tonnelle de fleurs. Protégé des oreilles et regards indiscrets, Chimali explose d'exaltation :

« Nous avons rencontré des collines flottantes. Des collines qui se déplacent sur l'eau avec de grandes ailes blanches.

— Où cela ?

— Près de Cempoala, en face de la Forêt-du-séjour-des-morts.

— Et qu'est-ce qu'elles font ? Elles bougent ?

— Oui. Et dessus il y a aussi des hommes qui bougent.

— Des hommes comme nous ?

— Pas exactement. Ils sont tout blancs.

— Blancs comme les racines des roseaux ?

— Oui, comme les tiges blanches des maïs.

— Et ils parlent ?

— Du baragouin. »

Uemac s'abîme dans ses pensées.

« Sais-tu, Chimali, que la petite plume précieuse, Xochipil, a rêvé de tes collines flottantes ?

— On va l'interroger pour savoir si ce sont les mêmes.

— Elle est entrée dans le temple du Serpent à plumes. Nous ne la reverrons que lorsqu'elle sera prêtresse.

— Ou si elle se marie. »

Uemac ne relève pas la suggestion du jeune marchand. Il hoche la tête, navré.

« Je me suis moqué de la petite fleur. Mais pouvais-je imaginer une chose pareille ? Des collines qui flottent ! Crois-tu qu'elles soient dangereuses ?

— Mon père envoie Pantli sur la côte pour les examiner. »

Uemac, silencieux, remue dans sa tête d'innombrables questions sans réponse. Chimali lui rappelle sa présence.

« Ces collines n'empêchent pas de boire du cacao à la vanille ! »

Le plumassier retrouve son sourire.

« Tu as raison. Je t'emmène aux cuisines. À ton avis, que va décider l'empereur ? »

★

Vingt jours plus tard, le Gardien-De-La-Maison-Noire, accompagné par quatre dignitaires et de nombreux porteurs, arrive au rivage de la Forêt-du-séjour-des-morts. Les collines flottantes, leurs ailes blanches repliées, tanguent doucement sur la mer divine. Le Gardien-De-La-Maison-Noire est mécontent. Il obéit sans plaisir aux ordres de l'empereur. Il trouve prématuré de traiter le capitaine des étrangers comme le dieu Serpent à plumes, de se mettre à son service et de lui offrir de magnifiques présents : les parures du Serpent à plumes, celles du dieu de la Guerre, du dieu de la Pluie, du dieu du Vent, avec leurs panaches et tuniques de plumes, leurs nombreux bijoux d'or et de jade, sans compter les miroirs dorsaux de turquoises et bien d'autres cadeaux riches et beaux.

Après une nuit de repos, les cinq envoyés de Moctezuma empruntent des barques aux habitants de la côte, y déposent les présents et se dirigent vers les étrangers. En arrivant au pied de la plus haute colline, le Gardien-De-La-Maison-Noire s'écrie :

« Nous venons de Mexico, de la part de l'empereur Moctezuma. »

Une belle jeune fille au visage brun traduit leurs paroles en langage barbare et les étrangers leur jettent une échelle. Les cinq messagers, portant les parures dans les bras, montent maladroitement et mangent la terre devant le capitaine.

« Qu'il daigne nous entendre, le dieu. Voici que vient lui rendre hommage son gouverneur Moctezuma qui a gardé Mexico pour son service. Il lui dit : "Il a souffert bien des fatigues, il est las, le dieu." »

Devant eux se tient un homme petit, bien bâti, qui marche en claudiquant légèrement. Son visage austère, à la peau claire, est entouré par des cheveux et une petite barbe noirs. Il a des yeux doux et graves et porte d'étranges habits : une armure de métal qui recouvre les bras, la poitrine, les hanches, et se prolonge par une jupe courte. À côté de lui se tient la belle jeune fille :

« Voici ce que t'offre ton gouverneur », révèle le Gardien-De-La-Maison-Noire.

Et les cinq seigneurs mexicains présentent la parure du Serpent à plumes que le capitaine revêt aussitôt. Autour de lui, les visages blancs ont l'air heureux et rient.

Alors le Gardien-De-La-Maison-Noire offre les

autres parures et les bijoux d'or. Enfin il tend une calebasse remplie de sang humain avec un ragoût de chair de prisonniers, et déclare :

« Voilà la chair et le sang de sacrifiés que nous t'offrons afin que ton cœur soit joyeux. »

Alors le Gardien-De-La-Maison-Noire ne comprend plus ce qui se passe autour de lui. Les visages sont courroucés, les voix injurieuses, et le capitaine donne des ordres d'un air furieux. Un homme blanc lance à la mer la calebasse. D'autres étrangers se jettent sur les dignitaires pour leur mettre des fers aux pieds et aux mains.

« Pourquoi le dieu nous traite-t-il ainsi, alors que nous nous sommes humblement mis à son service ? » demande le grand guerrier à la belle jeune fille.

Celle-ci ne répond pas.

À peine les honorables messagers sont-ils remis de leur stupéfaction qu'ils croient s'évanouir de frayeur. D'une gigantesque trompette, en métal noir, sort une grosse boule de feu avec un bruit qui ressemble au tonnerre et assourdit les oreilles. La boule de feu pétille en petites gouttes rouges puis se transforme en une fumée épaisse à l'odeur suffocante.

★

Sur la rive, Pantli, qui surveille les étrangers pour son maître, est bouleversé par ce qu'il vient de voir et d'entendre. Il voudrait délivrer son père, l'arracher aux mains de si redoutables étrangers, recevoir enfin le sourire tant attendu. Mais l'entreprise est irréalisable.

Les porteurs mexicains qui ont fui, épouvantés par la trompette à feu, reviennent, à pas craintifs, attendre leurs chefs. Au milieu de la nuit, les cinq Mexicains apparaissent sur la colline flottante. Ils sont rejetés brutalement dans les barques et rejoignent le rivage en ramant avec leurs mains. Pantli se précipite vers le Gardien-De-La-Maison-Noire :

« Que fais-tu ici ? demande celui-ci de sa voix glaciale.

— Je suis envoyé par mon maître pour me renseigner sur les étrangers.

— Tu lui diras que ce sont des Espagnols, que leur capitaine se nomme Cortès, et que la jeune fille qui lui sert d'interprète vient d'une province au Sud de l'empire et se nomme Malintzin[1]. Ce ne sont pas des collines, mais des barques, d'immenses barques qui viennent de l'autre côté de la mer. »

---

1. Malintzin, appelée par les Espagnols Doña Marina, est originaire du village de Painalla, dans la province de Coatzacoalco.

Puis, se détournant de son fils, il ordonne aux Mexicains :

« Partons tout de suite prévenir l'empereur. »

★

Toute la nuit, Pantli surveille les Espagnols. Il veut les voir de plus près et rapporter à Mexico de nouvelles informations.

Lorsque le jour apparaît, les étrangers font à nouveau marcher la trompette à feu. Tout près de Pantli, un arbre est en un instant transformé en poussière. Puis les étrangers abordent le rivage. Les hommes ont des habits de métal, des coiffures de métal, des épées, des boucliers et des lances de métal. Pantli détaille leur visage couleur de craie, et leurs cheveux noirs, jaunes, parfois frisés, qui dépassent de leur casque. Puis débarquent des animaux effrayants et merveilleux. Ce sont de grands chevreuils, aux museaux allongés qui bavent de la mousse comme celle que produit la saponaire. Ils poussent des cris longs et pathétiques. Lorsque les hommes montent sur les chevreuils, ils deviennent aussi hauts que les terrasses des maisons.

Puis débarquent d'autres animaux encore plus effrayants. Alors Pantli est saisi d'une folle épouvante. Il se met à courir, à courir vers Cempoala, pour prévenir les habitants du danger qui les menace. Il monte sans ralentir le rocher escarpé, traverse les rues vides à l'heure de la sieste, débouche sur la grande place où des passants sont rassemblés. Il crie :

« Méfiez-vous des Espagnols ! Ils sont couverts de métal et sont montés sur des chevreuils et... »

À ces mots l'attroupement se retourne, et apparaît Calmecahua. Il a un sourire triomphant :

« Voilà le grand balourd mexicain qui nous annonce une bonne nouvelle ! Totonaques ! L'heure est arrivée de vous libérer ! Avec les étrangers et leurs chevreuils, nous chasserons les Mexicains des provinces qu'ils asservissent.

— À mort, le Mexicain ! » s'écrie un homme en se précipitant vers Pantli.

Le groupe le suit en lançant des pierres. Pantli fait demi-tour et repart aussi vite qu'il est arrivé. Il tourne à gauche, puis à droite, arrive dans une ruelle très étroite où un vieux Maya lui fait signe de la main.

« Entre ici, tu ne craindras rien. »

Le vieil homme vit au milieu d'un grand encombrement d'objets.

« Tu te cacheras par là, si quelqu'un arrive. Je connais ce Calmecahua. Je lui ai vendu du sel et de l'or. Il a le cœur tordu et une double langue. Pourquoi aime-t-il tant les étrangers ? Que sait-on d'eux ? Certes les Mexicains nous font payer un lourd tribut, mais ils nous laissent adorer nos dieux et respectent nos coutumes. Ces étrangers, que feront-ils ? Qui sont leurs dieux ? Dans quel but viennent-ils sur nos terres ? Je n'en attends que des malheurs pour les Totonaques. »

★

Quelques jours plus tard, Chimali et son père écoutent attentivement le récit de Pantli.

« J'ai vu une trompette à feu réduire un arbre en bouillie.

— Tu veux dire qu'il n'en restait plus rien ? insiste le marchand.

— Plus rien. Et ils ont aussi des chiens très grands, avec des mâchoires qui tremblent, une langue pendante, le ventre maigre, des yeux enflammés comme des braises. Et ils ont aussi des chevreuils... »

Le père de Chimali l'interrompt :

« Tu nous l'as déjà dit. Ne sois pas si perturbé et garde ta tête claire. Réponds-moi précisément. C'est important. Est-ce bien le lendemain du départ des envoyés de l'empereur, que les Espagnols ont accosté sur la plage ?

— Oui, exactement. »

Le négociant prend un air grave.

« Alors c'était un jour neuf-vent[1].

— Peut-être. »

Le négociant continue son raisonnement :

« Les Espagnols sont descendus un jour neuf-vent, c'est-à-dire le jour de l'anniversaire du Serpent à plumes, et pendant une année un-roseau, l'année du départ du Serpent à plumes. Un jour neuf-vent pendant une année un-roseau, c'est une conjoncture qui ne se produit qu'une seule fois par cycle[2].

— Tu veux dire, père, qu'il s'agit certainement d'un dieu ? interroge Chimali. Un dieu très puissant ? »

Pantli s'énerve.

« Un dieu prêt à s'allier aux Tlaxaltèques qui prêchent la révolte contre les Mexicains ! Jamais je ne servirai un dieu pareil !

— Tu t'emportes toujours trop, rétorque Chimali, agacé. Écoute donc mon père et tâche de comprendre.

— Je comprends très bien. Seuls les traîtres aiment s'allier aux traîtres.

— Calme-toi, Pantli, interrompt sèchement le marchand, et va faire pénitence pour ton insolence. En attendant que je parle moi-même à l'empereur de ce que tu as vu et entendu, garde le silence. Il est inutile d'affoler le cœur des Mexicains. »

---

1. 21 avril 1519.
2. Un « cycle » dure 52 années. *Cf. Annexes* page 276.

Dès que Pantli a quitté la pièce, le marchand confie à son fils :

« J'enverrai un messager plus paisible dans les Terres chaudes. Ces événements nécessitent une grande prudence. »

★

Les pluies reviennent avec l'été. Entre deux averses, Moctezuma contemple les ruines de Tula. Il a laissé derrière lui les dignitaires pour méditer tout à son aise. Comme il n'a pas le droit de rester seul, Uemac se tient sur le côté, la tête baissée.

De l'ancienne capitale du Serpent à plumes, il demeure des ruines dont la pyramide du temple de l'Étoile du matin. Elle est surmontée de quatre immenses statues de pierre dont les couronnes sont sculptées d'étoiles et de plumes. Couvertes de gouttelettes, elles scintillent au soleil levant.

L'empereur pense à haute voix, plus qu'il ne parle à son plumassier.

« Depuis que les Espagnols ont débarqué un jour neuf-vent, une année un-roseau, plus rien ne m'est bon ni agréable. Ce retour du Serpent à plumes m'empêche de dormir, de manger, de me réjouir. Je vis dans un perpétuel tourment. »

Puis, saisi par une brusque colère, il se retourne vers Uemac :

« Dois-je céder au dieu mon pouvoir ? Ai-je agrandi le royaume jusqu'aux deux océans pour qu'il me le reprenne ? Faudra-t-il que Mexico soit détruite sous mon règne ? Est-ce cela la volonté des dieux ? »

Uemac s'incline humblement.

« Qu'il daigne m'entendre, notre empereur bien-aimé. Tu as offert au capitaine espagnol des sacrifices, des prières et des cadeaux, comme s'il était le dieu Serpent à plumes. Et en échange il s'est allié contre toi avec les habitants de Cempoala pour rejeter ton pouvoir. Et ensuite il a détruit leur temple et brûlé tous leurs dieux.

— Je le sais, je le sais, soupire Moctezuma. On m'a rapporté que les Espagnols ne vénèrent qu'un seul dieu, et que ce dieu-là veut éliminer tous les autres.

— Alors ce n'est pas le Serpent à plumes », répond Uemac, entêté.

Un silence gêné suit cette exclamation intempestive et Uemac reprend d'un ton plus doux :

« Vénérable empereur, le Serpent à plumes, ton ancêtre, n'aimait pas détruire. Il aimait transformer le monde en beauté, il aimait la musique, la peinture, et toutes ces statues d'argile, d'or et de jade dans lesquelles les hommes dessinent leur cœur.

— Te crois-tu plus sage que les prêtres et que ton empereur ? demande Moctezuma, agacé.

— Que notre empereur bien-aimé pardonne mon arrogance, et qu'il me permette d'ajouter quelques mots. Si le capitaine espagnol était un dieu, il ne maltraiterait pas nos dieux, puisqu'il serait leur frère. »

L'argument du plumassier trouble Moctezuma.

« J'en discuterai avec les prêtres et me retirerai quelques jours en prière et en pénitence dans la Maison-noire, afin de savoir s'il faut traiter le capitaine espagnol en ami ou en ennemi.

— Si tu décides de le traiter en ennemi, je te conseille de consulter l'homme-hibou du quartier des Moustiques. Il pourrait te rendre grand service. »

L'empereur se dirige à pas lents vers sa litière. Lorsque Uemac retrouve l'oiseau-quetzal, il lui murmure :

« J'ai tenu ma promesse pour l'homme-hibou. Il n'y aura pas de mensonge dans mon cœur. »

Quelques jours plus tard, les humbles gens du peuple entrent timidement dans les cours du palais impérial. Comme chaque année, à l'occasion de la grande fête des seigneurs, l'empereur distribue des vivres à la population en attendant la prochaine moisson.

La réjouissance est ce jour-là d'autant plus grande que les guerriers ont ramené la veille, après leur victoire sur ceux qui vivent du côté où le soleil se couche, de très nombreux prisonniers. Le petit peuple se presse autour des cages de bois.

« Tu vois, ma femme, dit le père de Totomitl, parmi tous ces prisonniers, quatre cents sont ici grâce à notre fils qui a capturé un capitaine de guerre et ses hommes.

— Le petit n'est même pas venu nous saluer ! constate la mère avec amertume.

— Laisse-le donc prendre un peu de repos ! Il doit être fatigué. Dès ce soir tu le verras, à la danse des seigneurs. »

Puis, se tournant vers un paysan :

« Et toi, l'ami, tu sais que mon fils a fait prisonnier un capitaine de guerre ?

— Tu as bien de la chance d'avoir un fils si valeureux.

— Il a été destiné, dès sa naissance, à avoir pour pays et héritage la maison du Soleil. Nous avons enterré son cordon ombilical dans le jardin, avec un petit bouclier, un arc et quatre flèches. Déjà, lorsque Totomitl était enfant il aimait se battre avec... »

L'exubérance du père est interrompue par le silence qui accompagne l'arrivée du Serpent-femme dans son manteau noir et blanc.

« Voici la distribution de maïs et de haricots que

vous offre votre vénérable empereur. Il n'oublie jamais qu'il doit à ses enfants bien-aimés l'abondance des fruits de la terre.

— Pourquoi l'empereur ne vient-il pas lui-même ? demande la mère.

— Il a certainement mieux à faire », répond le père avec insouciance.

Mais la mère n'est pas convaincue.

« Cette absence est de mauvais augure.

— Mais cesse donc de voir dans le monde une succession de catastrophes ! Allez, prends ici ta place dans la file. »

Et, à chacun, les nombreux serviteurs du palais donnent ce dont il a besoin.

Pour la grande fête des seigneurs, les guerriers ont exceptionnellement le droit de prendre par la main les danseuses. Miahualt est d'une folle gaieté et bavarde comme un oiseau.

« Heureusement que tu es revenu pour la fête, Totomitl. Nous danserons tous les soirs pendant dix jours. Tu sais, c'est moi qui suis choisie pour habiller la jeune fille qu'on sacrifiera à la déesse du jeune Maïs. J'ai déjà trouvé ses sandales rouges et son collier de turquoises. Elle a de la chance, elle deviendra déesse en mourant. Surtout, tu n'oublieras pas de venir ce jour-là avec une canne de maïs. Tu me regardes l'air éberlué ! Je me demande si tu n'as pas perdu tes esprits.

— Je te trouve tellement belle, Miahualt, que mon cœur brûle de bonheur, comme un piment grillé. »

Miahualt éclate de rire.

« Tu dis des sottises. Je vais te raconter tout ce qui s'est passé en ton absence. Pantli rejoue aux haricots et refuse de parler à ses amis. On m'a dit que la petite Xochipil fait beaucoup de progrès en peinture. »

Totomitl la regarde d'un air extasié. Miahualt rit :

« Mais fais attention, tu perds le rythme. M'as-tu rapporté un cadeau ?

— Oui. Quand on distribuera le tribut aux guerriers, je te donnerai des grelots d'or pour mettre en bas de ta jupe.

— Totomitl, dit Miahualt, tu es le meilleur de tous les vaillants guerriers mexicains. Quand je serai ta femme, je te préparerai tous les matins du cacao à la vanille.

— Mais nous aurons des serviteurs ! »

Miahualt a un petit sourire ensorceleur.

« Non, je le ferai moi-même, par amour pour toi. »

Totomitl regarde autour de lui et s'étonne.

« Sais-tu pourquoi l'empereur n'est pas là ? Il

vient toujours danser avec les guerriers pour la fête des seigneurs !

— L'empereur pleure sur son malheur.

— Que lui est-il arrivé ?

— Ah ! Tu n'es pas au courant ? Des étrangers, les Espagnols, ont débarqué près de Cempoala et poussent les habitants à se révolter contre les Mexicains. Les prêtres interrogent les dieux pour savoir si leur capitaine est le Serpent à plumes qui revient dans son royaume. L'empereur est très tourmenté. Il s'est enfermé depuis plusieurs jours dans la Maison-noire pour prier. »

Totomitl dévisage Miahualt avec stupeur.

« Et tu ne me disais rien !

— Cela concerne l'empereur.

— Mais, Miahualt, cela concerne tous les Mexicains ! »

La courtisane est consternée.

« Je t'en prie, Totomitl, ne réveille pas l'angoisse. Pour le moment il y a des fleurs, des chants, des danses, et nous sommes heureux. Gardons le bonheur encore un peu. Bientôt, à Mexico, plus personne n'aura le cœur tranquille. »

L'homme-hibou et trois autres sorciers s'arrêtent dans la Forêt-du-séjour-des-morts. À la lisière des arbres, près du rivage, sont groupées des maisons neuves, de bois et de terre, que domine une grande croix.

« Ils construisent déjà une ville [1], remarque un sorcier.

— Il est grand temps d'intervenir, conclut l'homme-hibou. Nous préparerons notre breuvage quand le vénérable lapin sera au milieu du ciel. »

Au moment convenu, les sorciers préparent avec méticulosité des mélanges d'herbes rares sur un brasero parfumé d'encens. L'un après l'autre, ils murmurent en tendant les mains :

« Que ce breuvage ensorcelle le cœur du dieu pour qu'il s'éloigne de nos rivages ! »

Puis les sorciers se peignent le corps en noir, endossent un manteau blanc, prennent un bâton et un éventail. À l'aube, ils se dirigent vers la ville des Espagnols, chargés de cadeaux en or et de la boisson magique. Des habitants de la région, ralliés aux étrangers, les conduisent jusqu'à la maison de Cortès. Celui-ci est entouré d'hommes au visage de craie et de Totonaques.

Les faux ambassadeurs s'inclinent. L'homme-hibou prend la parole :

« Nous venons te faire ces cadeaux de la part de notre puissant empereur Moctezuma. Il te demande

1. Vera Cruz.

de ne pas venir à Mexico afin de ne point jeter l'épouvante dans tout le pays. »

Malintzin traduit aussitôt le discours. Le capitaine boit volontiers le breuvage qu'on lui offre et répond quelques phrases dans son baragouin que la jeune fille répète en nahualt :

« Le capitaine remercie le grand Moctezuma pour ses cadeaux. Mais il a tellement entendu de merveilles sur la ville de Mexico qu'il souhaite l'admirer de ses propres yeux. Il s'y rendra bientôt pour offrir à son tour des présents à l'empereur. »

Et Cortès donne aux faux ambassadeurs de petits colliers avec des pierres rouges. Ceux-ci s'inclinent et s'en vont. Quelques maisons plus loin, l'homme-hibou croise Calmecahua qui blêmit en le reconnaissant. Le garçon se précipite dans la maison de Cortès :

« C'étaient des sorciers. Ils ont pris le pouvoir sur ton cœur. »

Malintzin, en proie à une vive émotion, traduit la mauvaise nouvelle. Mais Cortès ne semble pas s'inquiéter. Au contraire, il sourit, l'air amusé.

Dans la forêt, les sorciers aztèques attendent les effets de leur breuvage magique. À tour de rôle chacun monte dans un arbre pour apercevoir la ville.

Mais elle reste très paisible. Les Espagnols continuent à couper du bois, à construire des maisons, à recevoir la nourriture que leur apportent les habitants.

La journée paraît interminable à l'homme-hibou. L'Aigle monte dans le ciel, puis décline derrière les arbres sans qu'aucun événement survienne. Au crépuscule, l'homme-hibou avoue, découragé :

« Cet Espagnol a la chair dure.

— Il est impénétrable à nos sortilèges », précise un autre.

Soudain de grandes flammes apparaissent sur la mer.

« Les collines flottantes brûlent, s'écrie l'homme-hibou, joyeusement. Nous avons ensorcelé le cœur du dieu. Maintenant il détruit ses barques, il chassera ses amis, il repartira pour toujours.

— Nos breuvages ont des pouvoirs extraordinaires que nous ignorions encore, constate modestement un sorcier.

— Que les dieux soient remerciés ! Désormais le peuple du Soleil est sauvé ! »

Pendant que les sorciers s'enchantent de l'embrasement des bateaux, Calmecahua saute au milieu d'eux, accroché à une longue liane.

« Pauvre homme-hibou, dit-il en éclatant de rire.

Tu n'as aucun pouvoir. Tes sorcelleries ne valent rien !

— Serpent malfaisant, ne vois-tu pas que le mauvais sort oblige l'étranger à brûler ses bateaux ? »

Calmecahua s'esclaffe :

« C'est un ordre du capitaine afin que personne ne retourne en Espagne. Ainsi il obligera ses guerriers à monter vers Mexico. Il anéantira la ville, il détruira le peuple du Soleil. Quant à toi, sorcier incapable et stérile, tu ne te moqueras plus de moi, tu n'entortilleras plus ma tête, tu ne me retourneras plus à l'envers, jamais je ne mourrai de la vengeance d'une femme. »

Et Calmecahua, saisi de fou rire, s'enfuit dans la forêt.

Le brouillard est revenu avec l'automne et des pans de brume s'accrochent au sommet de la pyramide de Tlatelolco. Au marché, Uemac, soucieux, examine la marchandise : des tas de plumes ordinaires, rien que des plumes ordinaires. Consterné, il s'approche d'un vendeur et demande à voix basse :

« Tu n'aurais pas quelques plumes précieuses cachées dans un coin ?

— Comment en aurais-je ? répond le vendeur de mauvaise humeur. Plus personne n'ose descendre dans les Terres chaudes depuis que les habitants de Tlaxala ont fait alliance avec les Espagnols.

— Je le sais bien.

— Alors pourquoi viens-tu me tracasser ? »

Le plumassier s'éloigne, vexé et déçu.

« La peur est dans les cœurs, oiseau-quetzal, et la peur agite les esprits, les trouble, les fait bouillonner comme du cacao sur un brasero. »

Pourtant, à voir les petits enfants qui courent dans les allées et la foule bariolée qui se presse, on se croirait encore dans les temps paisibles et heureux. Un groupe très animé attire l'attention d'Uemac qui s'approche.

« Une charge de coton, propose Pantli. Je parie une charge de coton. Qui veut jouer ? »

Un Otomi des provinces du Nord s'assied en face de lui.

« C'est d'accord. Une charge de coton. »

Des passants, excités par cet enjeu considérable, se rassemblent pour suivre la partie. Uemac s'approche de Pantli.

« Tu as perdu l'esprit ? Comment paieras-tu ? Ton maître sera obligé de te revendre.

— Je sais ce que je fais », répond Pantli.

Le jeu commence. Les haricots roulent sur la natte. Les petites pierres avancent de case en case.

Uemac regarde attentivement la figure de son ami. Elle s'est imperceptiblement modifiée et exprime la tranquillité et la détermination.

« Il s'est certainement passé quelque chose dans son cœur pour que son visage ait ainsi changé », songe-t-il.

Les aléas du jeu, les cris des vendeurs, les émois des spectateurs, rien ne trouble Pantli. La chance est de son côté et il gagne en peu de temps. Malgré les félicitations et les exclamations de surprise, il reste imperturbable et s'adresse à l'Otomi.

« Tu donneras cette charge de coton à mon maître en échange de ma liberté. »

Puis, sans s'attarder davantage, il se lève et s'éloigne. Uemac court derrière lui.

« Pourquoi as-tu fait cela ? Tu n'étais pas heureux, esclave ? »

Pantli explose d'indignation :

« Sais-tu que les chefs de Tlaxala ont donné leurs filles en mariage à des Espagnols et les ont fait baptiser ? Sais-tu qui est Malintzin ? Une jeune fille noble, née sous le signe un-herbe-jaunie qui la destine à lutter contre les Aztèques toute sa vie ?

— Et alors ? demande Uemac.

— Voilà Chimali ! En l'écoutant, tu comprendras. »

Le marchand en effet les rejoint :

« Je viens d'apprendre que tu veux quitter mon père qui est si bon pour toi.

— Je ne veux pas servir un maître qui croit que Cortès est le dieu Serpent à plumes. Je ne veux pas servir un allié des Tlaxaltèques, je ne veux pas...

— Oh ! interrompt Chimali exaspéré, ne t'emporte pas comme à l'accoutumée. Mon père a raison de croire que ces étrangers sont divins. C'est un étonnant prodige que leurs vêtements de métal, leurs grands chevreuils et leurs trompettes à feu. D'ailleurs, crois-tu que ta pauvre cervelle ait raison contre l'avis des prêtres ?

— Les prêtres ne savent pas encore très bien ce qu'ils pensent, remarque Uemac. L'empereur non plus.

— L'empereur change d'avis constamment, rétorque Chimali. Un jour il offre des présents aux Espagnols, un autre il leur tend des pièges. C'est une attitude stupide.

— Comment oses-tu parler ainsi ? » s'indigne Uemac.

Chimali devient sèchement ironique :

« Toi, le plumassier, pense à te faire un visage et un cœur, comme le dit ton seigneur Serpent à plumes, et ne t'occupe pas des affaires de l'empire. »

Puis le marchand se retourne et s'en va.

« Tu as encore des plumes précieuses ? » lui crie Uemac.

Chimali disparaît sans répondre. Uemac se tourne vers Pantli.

« Il est fâché. Et toi, que vas-tu faire maintenant ?

— Je vais être gendarme. Il va falloir surveiller la ville. Je me méfie des étrangers. »

Tous deux se taisent, plongés dans leurs pensées. Pantli cherche à réconforter son ami.

« Ne t'inquiète pas pour Chimali, ce n'est pas contre toi qu'il est courroucé. Il t'apportera des plumes précieuses. Son père en possède encore beaucoup dans ses entrepôts secrets.

— Tu sais, Pantli, je suis de ton avis. Cortès n'est pas notre seigneur Serpent à plumes. Il boit, mange, dort comme un homme, et il veut conquérir des provinces, comme un chef de guerre. »

Il soupire :

« Avec toutes ces choses extrêmement folles autour de nous, je ne sais pas qui va rester debout. Allez, porte-toi bien. »

Uemac s'en retourne tristement vers le palais.

« Je te l'avais dit, oiseau, la peur fait bouillonner les cœurs. »

Puis il avoue, désolé :

« Chimali avait raison pour notre empereur bien-aimé. L'autre jour, quoique vénérable, il voulait partir, partir en courant se cacher dans une caverne. Aujourd'hui, il veut se battre et envoie les guerriers à Cholula pour arrêter les Espagnols. Demain, que voudra-t-il ? »

10

La fête de l'Aigle

Totomitl admire le Popocatepetl qui, au loin, crache de hautes flammes. Puis il regarde devant lui les quatre cents temples de la belle ville de Cholula, scintillante de blancheur. Il se sent joyeux. Les dieux du Soleil et de la Guerre ont prédit la victoire de son peuple et le garçon espère bien ramener un prisonnier espagnol. Puis à nouveau il s'allonge à côté de ses compagnons.

Car, pendant la journée, les guerriers se cachent sur les terrasses des maisons en attendant le moment d'affronter les étrangers. Ceux-ci, sur l'ordre de Moctezuma, ont été reçus par le gouverneur qui leur a offert l'hospitalité dans une grande demeure près de la Maison des dieux. Lorsqu'ils partiront vers Mexico, quatre jours plus tard, les Aztèques les attaqueront par surprise.

Pendant la nuit, lorsque les étrangers dorment, les Mexicains préparent leur offensive. Sur les bords des terrasses, ils construisent des parapets avec de gros madriers afin de se protéger. Puis ils font des provisions de pierres pour les jeter sur les armures de métal. Ils préparent aussi de longs pieux pour blesser les chevreuils et des cordes pour ramener les prisonniers. Le jour, ils dorment sous le soleil d'automne qui réchauffe agréablement l'air déjà froid des hauts plateaux.

Les guerriers de Tlaxala, alliés aux Espagnols, sont prêts à venir à leur secours. En attendant, ils campent dans une forêt proche de la ville, car les gens de Cholula les haïssent.

Cette nuit-là, Calmecahua n'arrive pas à dormir. Il pense aux étrangers qui vont se rendre à Mexico pour vaincre le peuple du Soleil. Il présume que les futurs vainqueurs feront de lui un dignitaire pour le remercier d'avoir poussé à la rébellion les provinces. Des images de gloire et de richesse échauffent son esprit.

« Il me faudrait une bonne pipe de tabac pour me calmer », songe-t-il.

À la lumière des étoiles, il se dirige vers Cholula dont les braseros fument sur les pyramides. Calmecahua arpente les ruelles silencieuses. Enfin il repère une lumière vacillante derrière un rideau mal tiré. À l'intérieur, assis par terre, un garçon d'une douzaine d'années somnole, le dos contre une charge de tissu. La pièce est remplie de sacs de plumes, de piments, de graines et d'herbes, de cotonnades.

« As-tu une pipe de tabac ? Je n'arrive pas à trouver le sommeil », demande Calmecahua en entrant.

Le jeune garçon ouvre les yeux et sursaute.

« Je te demande du tabac, répète Calmecahua. Tu en as certainement dans tous ces paquets. »

Le petit garçon continue à le dévisager d'un air apeuré. Le Tlaxaltèque s'impatiente :

« Qu'as-tu à rester immobile comme une crotte desséchée ? »

Comme son interlocuteur ne réagit toujours pas, Calmecahua tend un bras pour fouiller la marchandise. Immédiatement le petit garçon se dresse devant les sacs.

« Ne touche à rien. Je n'ai pas de tabac.

— Cela m'étonnerait fort », dit Calmecahua, qui le repousse brutalement et renverse une charge de coton.

Derrière sont empilés des pieux bien effilés.

Soupçonneux, Calmecahua farfouille dans la pièce et découvre des tas de frondes et de flèches.

« Pour qui sont toutes ces armes ? »

Le petit garçon répond bravement :

« Je ne te dirai rien. »

Calmecahua a un sourire rusé.

« Et si je te frappe avec des orties, si je te passe des aiguilles dans la langue, tu ne diras toujours rien ? »

Le petit garçon le fixe droit dans les yeux, inflexible.

« Je n'ai pas peur de la mort. Si tu me tues, je deviendrai un compagnon de l'Aigle.

— Je ne veux pas te tuer, je veux simplement te faire terriblement souffrir.

— Je ne dirai rien », répète le petit garçon.

Calmecahua réfléchit un moment puis s'excuse d'une voix charmante.

« Je plaisantais. Si tu n'as pas de tabac, je m'en passerai. Dis-moi seulement où habite la jeune fille qui accompagne les Espagnols, Malintzin. »

Le petit garçon paraît soulagé.

« Elle habite dans une petite maison, juste à droite de la grande maison où habitent les étrangers, à côté de l'espace des dieux.

— Je te remercie », dit le Tlaxaltèque.

Et, un vague sourire aux lèvres, il disparaît dans la ruelle obscure.

★

Le lendemain matin, quand la nuit se dissipe, les conques mugissent sur les pyramides. Totomitl se retourne vers ses guerriers.

« Préparez-vous, dit-il à voix basse, c'est bientôt le moment. Cachez-vous derrière les palissades avec des pierres et des pieux. Et dès que les Espagnols passeront dans la rue, attaquez-les, le cœur ferme et vaillant. »

Chacun, dans le plus grand silence, se prépare à l'assaut. Totomitl sent l'importance décisive de l'affrontement qui s'annonce. Car il ne s'agit pas d'un combat ordinaire, selon les conventions anciennes, c'est un combat inouï, comme on n'en a jamais vu, contre des ennemis imprévisibles, un combat qui doit prouver, de manière éclatante, la supériorité du dieu du Soleil.

Pendant que Totomitl songe aux enjeux de cette extraordinaire journée, éclate le bruit assourdissant d'une trompette à feu. Un gros nuage noir s'étire sur la ville. Les guerriers se jettent des regards surpris. Mais déjà un autre grondement de tonnerre se fait entendre, vite suivi de martèlements aigus sur les pavés. Dans les rues, les Espagnols sur leurs chevreuils dévalent au grand galop.

Totomitl est à peine revenu de sa surprise, que sur

la terrasse surgissent cinq étrangers avec leurs armures de métal et leurs épées qui brillent comme des éclairs.

« Faites des prisonniers », crie-t-il, en saisissant un pavé qu'il lance avec violence sur un Espagnol qui titube.

Trois de ses compagnons sont immédiatement transpercés. Totomitl jette une autre pierre qui atteint le casque d'un ennemi. Celui-ci, furieux, s'avance, l'épée tendue. Totomitl esquive le coup, tente de reculer, trébuche sur le parapet, bascule et tombe dans la rue. Une douleur aiguë enflamme sa cheville. À côté de lui courent les hautes pattes des chevreuils dans le vacarme de leurs sabots.

« Ils vont faire de moi de la bouillie », songe le garçon qui n'arrive pas à se déplacer.

Mais deux mains le saisissent par les épaules et le tirent à l'intérieur d'une petite cour aux murs blancs jusqu'au cabanon du bain de vapeur.

« Entre là-dedans et attends la nuit, ordonne une vieille femme. Mon petit-fils viendra te chercher. »

Sous le regard du vénérable lapin dans la lune ronde, Totomitl serre les dents de douleur pour arriver à marcher. Lorsqu'ils ont quitté Cholula, il demande à son compagnon.

« Raconte-moi ce qui s'est passé.

— Les Espagnols ont tué beaucoup de guerriers de Mexico et de Cholula. Ceux de Tlaxala sont venus les aider.

— Alors nous sommes réellement vaincus ? » répète Totomitl qui n'arrive pas à y croire.

Le garçon ne se lasse pas de raconter l'épouvante.

« Les Espagnols font mourir d'un seul coup avec de petites trompettes à feu, ou bien ils brûlent les guerriers vivants. Ils ne font pas de prisonniers. »

Une fois seul dans un champ de maïs, Totomitl s'abandonne à la douleur et au chagrin. Jamais il n'avait sérieusement cru possible la défaite des guerriers. Son monde va-t-il s'écrouler dans l'abîme ? Pourtant, une fois, il y a plusieurs années, les Aztèques ont été battus à la guerre avant de redevenir les plus valeureux. Cette défaite ne sera pas définitive. La prochaine fois, les Espagnols seront sûrement écrasés.

Pendant six jours, Totomitl, parfois en rampant, parfois en s'aidant de béquilles de fortune, remonte vers le nord. Il se nourrit de sauge et de racines. Enfin il rencontre des centaines de Mexicains. Les uns apportent de hautes agaves que d'autres plantent sur le plateau.

Un groupe de paysans vient à sa rencontre.

« Assieds-toi, vaillant guerrier, dit l'un. Tu dois être las, épuisé. Reviens-tu de Cholula ?

— Les Espagnols nous ont massacrés. Où sont-ils maintenant ?

— Toujours à Cholula. Ils ont obligé les habitants à se réconcilier avec ceux de Tlaxala, à se soumettre et à renoncer à leurs dieux. Puis ils ont élevé leur grande croix de bois.

— Et vous, que faites-vous ici ?

— L'empereur a ordonné de planter des agaves pour empêcher les Espagnols d'arriver à Mexico. Mais puisque tu es blessé, nous allons te porter jusqu'à la lagune. Là, tu prendras une barque pour rentrer chez toi. »

« Le bijou, la plume riche, le joyau, s'exclame la Huéhué, en tirant son petit-fils de la pirogue. Le dieu nous l'a ramené vivant, tout pâle et amaigri. Viens, mon petit-fils, je vais te soigner, cela n'a pas l'air bien grave. Tu vas d'abord prendre un bain de vapeur. Ma fille, lève-toi, c'est ton fils qui revient. »

La mère de Totomitl, qui faisait une petite sieste, s'approche en se frottant les yeux.

« Mon enfant, te voilà blessé ! Et nous sommes là toutes seules pour t'accueillir. Ton père est parti planter des agaves contre ces maudits étrangers. À mon avis cela ne sert à rien. Mais sinon où aller ? Bientôt ce sera la fin du monde.

— Ma fille, tais-toi et allume vite un feu pour le bain de vapeur, ordonne la Huéhué. Je ne peux guérir quelqu'un d'aussi sale. »

Bientôt, lavé, la cheville massée d'huile odorante, étendu sur une natte près de la chaleur du brasero, Totomitl mange goulûment une galette de maïs.

« Je te mets un emplâtre, et tu ne bougeras plus pendant un mois », explique la grand-mère.

Totomitl garde le silence. La Huéhué observe son visage triste et épuisé.

« Mon pauvre petit, c'est un grand malheur qui nous est arrivé.

— Je n'ai rien compris. Sais-tu ce qui s'est passé à Cholula ? Pourquoi les Espagnols nous ont-ils attaqués par surprise ?

— On dit que quelqu'un a prévenu Malintzin de se méfier et qu'elle a été voir une vieille femme avec des présents. La vieille lui a raconté le piège que préparait l'empereur. »

Totomitl sent les larmes lui monter aux yeux. La consternation et la fatigue font céder son courage. La Huéhué le regarde avec tendresse.

« Mon enfant chéri, laisse ton cœur être malheureux. »

Accompagnée par un prêtre, Xochipil entre timidement dans les appartements réservés à l'empereur. Près d'elle, le Gardien-De-La-Maison-Noire enlève ses trois riches manteaux, son collier de coquillages, et revêt un simple manteau blanc en fil d'agave. Puis il monte vers la salle du trône.

« Retire tes sandales, conseille le prêtre. Je t'attendrai. »

Xochipil se déchausse et monte à son tour le large escalier. La salle du trône est vaste et à peine meublée de quelques coffres d'osier. L'empereur est assis sur une chaise basse recouverte de coussins. Autour de lui, debout, se tiennent les grands dignitaires militaires, celui de la « Maison Noire », celui qui « commande les guerriers », celui qui « garde les javelines » et celui du « serpent miroir », tous quatre habillés de blanc. Les deux vénérables prêtres du grand temple, avec leurs robes noires et leurs longs cheveux en broussaille, ont l'air plus austères encore que d'habitude. De l'autre côté de la pièce sont regroupés une dizaine de devins et d'enchanteurs, spécialistes dans le déchiffrage des rêves.

Xochipil est très émue de se trouver en face d'une telle assistance. Elle fait sept révérences, et s'incline :

« Puissant seigneur, je suis venue à ta demande pour connaître ta volonté et savoir ce que tu veux de moi.

— Sois la bienvenue », répond l'empereur.

D'une voix plus haute, il ajoute :

« Vous tous qui êtes venus me voir, vous connaissez la raison pour laquelle je vous ai appelés : je veux savoir si vous avez vu ou entendu ou rêvé quelque chose en rapport avec mon royaume. Je vous prie de ne rien me cacher et de me parler ouvertement. »

Puis s'adressant à Xochipil :

« Je commencerai par toi, qui es la plus jeune, afin que tu ne sois pas influencée par la parole des Anciens. Parle en toute franchise. L'autre jour, tu as rêvé d'un homme à double tête, et cet homme est apparu. Auparavant tu avais rêvé de collines flottantes et les collines sont arrivées. As-tu rêvé récemment ? »

Xochipil parle très doucement, la tête baissée :

« J'ai rêvé plusieurs nuits de suite, que les temples de Mexico brûlaient, et que les canaux étaient remplis de cadavres. »

Moctezuma lui jette un regard où se lit la colère.

« Pourquoi devrais-je croire ce que disent tes rêves ? »

Xochipil s'étonne, rougit et bafouille :

« Je suis venue à ta demande. Mes rêves ne m'ont jamais trompée. Le Soleil et la Terre savent que je dis la vérité. »

Moctezuma répond sèchement :

« Tu es trop jeune pour que l'on puisse prendre tes paroles au sérieux. Retourne d'où tu viens. »

Xochipil s'en va à reculons. Sur le palier, le prêtre l'attend.

« Il ne m'a pas crue, murmure-t-elle. Son cœur est fermé à la vérité. »

Dans la salle du trône, l'homme-hibou s'avance à son tour.

« Puissant seigneur, ma connaissance des secrets du jour et de la nuit me permet de t'affirmer que le capitaine des Espagnols est le Serpent à plumes car seul un dieu peut lutter contre les sortilèges que nous lui avons envoyés. Il vient reprendre le royaume dont il a été chassé par le dieu de la Guerre. Il revient comme les ancêtres l'ont annoncé. Reçois-le avec tous les honneurs qui lui sont dus. »

Sur le visage de Moctezuma se lit une grande perplexité.

« Je suis en proie à beaucoup d'hésitations. Le destin est terriblement confus. Qu'un autre devin vienne parler ! »

Le lendemain, Chimali entre gaiement dans la Maison des oiseaux, portant un cabas rempli de plumes précieuses.

« Voilà de quoi travailler, annonce-t-il d'un ton enjoué. Mais qu'as-tu ? »

Uemac a une expression lugubre, tandis qu'il peint des plumes orange. Chimali l'interroge :

« Es-tu fâché contre moi ? Je me suis sottement mis en colère l'autre jour. Depuis j'ai fait pénitence.

— Non, ce n'est pas à cause de toi, c'est à cause de notre vénérable empereur que je suis d'humeur noire. Les sorciers lui ont mis la tête à l'envers avec leurs conseils funestes. Moctezuma m'a demandé de faire un panache de plumes en forme de fleurs pour l'offrir à Cortès quand il viendra à Mexico. Et je n'aime pas cet homme.

— Tu n'as pas encore vu son visage, remarque Chimali, conciliant.

— Il n'est pas le Serpent à plumes.

— Qu'importe ! Il vient pour faire la paix. C'est un grand soulagement après tant d'inquiétudes. La gaieté reviendra dans les cœurs.

— Je suis incapable de faire un beau panache pour cet Espagnol que je n'aime pas. »

Chimali sourit.

« Il ne verra pas la différence. Il ne sait pas ce qu'est la beauté dans le travail des plumes. »

Uemac paraît soulagé.

« Tu as raison, Chimali. Je ferai un panache sans y peindre mon cœur. »

« Achetez mes bouquets, mes seigneurs,
fleurissez-vous, vaillants guerriers
pour bien fêter les étrangers. »

Miahualt se promène près du mur aux têtes de serpent. Les dignitaires qui sortent vêtus de leurs plus beaux manteaux et de leurs plus beaux ornements, achètent des fleurs à la jeune fille avant d'emprunter la grande chaussée du Sud où doivent arriver les Espagnols[1]. Partout les Mexicains sont agglutinés pour voir le spectacle : sur les terrasses, dans les saules et les peupliers, dans les barques, sur les murs des jardins, tous attendent avec une immense curiosité les hommes couverts de métal.

Le panier est presque vide, lorsque Totomitl apparaît en boitant. Miahualt lui fait signe.

« Mon guerrier valeureux, prends encore du plaisir, donne encore de la joie. Emporte ce dernier bouquet que j'ai gardé pour toi. Et dépêche-toi, tu vas être en retard. »

Totomitl emprunte à son tour la chaussée du Sud, que Pantli et d'autres gendarmes protègent de la foule.

« N'oublie jamais de te méfier des Espagnols », lui murmure-t-il à l'oreille.

Bientôt Totomitl retrouve les guerriers flam-

---

1. Le 9 novembre 1519.

boyants de couleurs et de bijoux précieux. Puis les flûtes entonnent un air joyeux, les tambours battent, et, porté par les quatre grands chefs militaires, l'empereur arrive dans sa riche litière. Aussitôt des guerriers élèvent un dais brodé d'or, de perles et de plumes. Des serviteurs balaient devant Moctezuma et d'autres s'agenouillent pour étaler des nattes sous ses sandales d'or afin que ses pieds ne touchent pas le sol.

Dans un nuage de poussière s'avance Cortès sur son chevreuil, suivi par Malintzin et une longue cohorte de guerriers revêtus de leur armure. Moctezuma s'incline et tend à Cortès un magnifique collier d'or, passe autour de son cou une guirlande de fleurs, et lui donne enfin un panache de plumes en forme de fleur. Puis il dit :

« Ô notre seigneur ! Voici que tu es venu vers ta cité de Mexico que je t'ai conservée. Je ne rêve pas, je ne suis pas en train de faire un songe, c'est vraiment toi qui viens reprendre le royaume de ton père, le dieu Serpent à plumes. Si tu veux retrouver ton trône, je me soumettrai à ton pouvoir. Si tu viens seulement me rendre une visite, je t'en remercie du plus profond du cœur avec une extrême joie. »

Malintzin traduit le discours de l'empereur, écoute les paroles en langue barbare de Cortès et traduit à nouveau :

« Que Moctezuma console son cœur, et ne soit

point effrayé car nous l'aimons beaucoup. Depuis longtemps nous voulions le regarder en face et voir Mexico. »

Puis tous deux s'inclinent une nouvelle fois. Cortès remonte sur son chevreuil, Moctezuma dans sa litière. Et sous les yeux admiratifs de la multitude, ils avancent lentement l'un à côté de l'autre, jusqu'au centre de la ville. Là, Moctezuma fait entrer Cortès dans le palais de l'ancien empereur Axayacatl, dont les pièces ont été décorées de rameaux et de fleurs pour recevoir les étrangers.

Cinq jours plus tard[1], vers le milieu de la matinée, Totomitl et de jeunes guerriers reviennent d'une course silencieuse dans les collines du Nord. Sur la rive, ils s'amusent à effrayer de grands échassiers aux plumes rouges qui s'envolent comme un grand manteau de flammes. Soudain gronde le bruit terrifiant d'une trompette à feu.

« Vite, allons protéger l'empereur », ordonne Totomitl.

En arrivant devant le palais d'Axayacatl, les guerriers s'arrêtent, abasourdis. Sur la place, des Espagnols, ivres de bonheur, exhibent des colliers d'or,

1. Le 14 novembre 1519.

des boucliers d'or, des jambières, des bracelets, des diadèmes, des sandales tout en or. Leurs visages rayonnent de joie et ils se donnent de grandes claques sur le dos. Par terre traînent les armures de parade en plumes précieuses que les étrangers piétinent avec indifférence.

« Que se passe-t-il ? demande Totomitl à Pantli qui, dans un coin de la place, surveille, consterné, le pillage.

— Ils ont fouillé les chambres secrètes. Ils ont éparpillé tous les trésors. Ils se jettent sur l'or comme des chiens sur la nourriture. »

Mais déjà d'autres Espagnols reviennent du palais de Moctezuma, eux aussi chargés d'or. Puis l'empereur s'approche sur sa litière, escorté par Cortès, et tous deux entrent dans le palais d'Axayacatl dont les grandes portes se referment lourdement.

« Ils osent faire prisonnier notre vénérable empereur ! » crie Totomitl dans un mouvement de révolte.

Puis il murmure :

« Qu'allons-nous devenir ? »

Confondus par les événements, les deux amis ne réagissent même pas lorsqu'une horde de Tlaxaltèques, riants et contents, les mains pleines de bijoux de jade et de turquoises dérobés au palais, courent vers les collines. Un grand silence se fait dans la ville. Plus personne n'ose parler devant un tel malheur. Un cri de l'oiseau-quetzal fait se retourner Totomitl. Uemac sanglote, appuyé contre un mur.

« Uemac ? » murmure doucement le guerrier.

Uemac redouble de pleurs.

« Ils ont jeté par terre les plumes précieuses. Ils ont marché dessus, ils les ont piétinées, il les ont écrasées, ils les ont déchirées... »

Puis il lève son visage ruisselant et ajoute dans un sanglot :

« Ils les ont comptées pour rien. »

Les jours néfastes qui séparent l'année un-roseau de l'année deux-silex[1] se déroulent sans nouvelle catastrophe. Le peuple du Soleil reprend le travail de chaque jour. Quoiqu'il n'y ait plus de sacrifices, l'Aigle se lève tous les matins et le monde continue. À nouveau les paysans brûlent les terres en jachère et labourent, les femmes sèment et surveillent les plants de maïs pour chasser les oiseaux. À nouveau pêcheurs, chasseurs, marchands, artisans accomplissent leurs tâches quotidiennes. Mais leurs pas sont encore plus légers, leurs têtes encore plus penchées, et les cœurs remplis d'inquiétude. La peur

1. 1520.

brouille les esprits et engendre des colères soudaines. Beaucoup murmurent contre l'empereur qui obéit aux Espagnols. On raconte que le Gardien-De-La-Maison-Noire, avec quelques guerriers valeureux, a proposé à Moctezuma d'assassiner Cortès mais que l'empereur a refusé.

Le soir il n'y a plus de danses et c'est comme si la terre était morte. Parfois Miahualt se rend à l'espace des dieux devant la grande pyramide. Autour d'elle, Mexicains et Mexicaines se rassemblent pour l'entendre chanter leur angoisse.

« Ils sont de courte durée les empires,
nous ne sommes ici que de passage.
Même les jades se brisent
même les plumes se déchirent
même les ors se fendent.
Il faudra quitter les beaux poèmes.
Il faudra quitter les beaux chants.
Emporte-t-on les fleurs au pays des morts ? »

Un mois plus tard, Miahualt sort de sa maison dans le bruit des grelots d'or que lui a offerts Totomitl et qu'elle a cousus à sa jupe brodée. Ses grands yeux d'obsidienne brillent de joie dans son visage doré aux belles lèvres rouges. C'est que, ce soir-là, les Mexicains ont le droit de célébrer la fête de l'Aigle[1]. Car, malgré l'absence de Cortès, les Espagnols ont demandé à Moctezuma de leur montrer leurs coutumes.

À peine a-t-elle fait quelques pas, que Miahualt découvre Calmecahua qui trotte vers la forêt. Il l'aperçoit à son tour et s'exclame :

« Puisque les dieux t'ont sauvée du volcan éteint, tu ferais mieux de rester chez toi.

— Rester chez moi, le soir où tous les vaillants guerriers dansent pour nos dieux !

— C'est à tes risques et périls », constate Calmecahua d'un ton plein de sous-entendus.

Puis il éclate de rire :

« Pauvre sotte qui croit au destin ! Ils s'en fichent les Espagnols de ce que disent vos devins. Tu ne te marieras pas avec un vaillant guerrier ! Tu n'épouseras pas Totomitl ! Bientôt tu m'obéiras. »

Miahualt a l'impression d'avoir avalé son cœur et regarde le Tlaxaltèque avec une fixité étrange.

« Alors, puisque je suis destinée à t'obéir, viens chez moi et laisse-moi t'offrir du jus d'agave. Tu dois avoir soif après ta course. »

Calmecahua paraît surpris mais charmé.

« Tu es plus raisonnable que je ne le pensais. J'ai soif, en effet. »

---

1. Le 22 mai 1520.

Tous deux entrent dans la petite maison de bambou. Miahualt remplit un bol de jus d'agave. Puis elle prend un épais sac blanc et le déchire. À l'intérieur, bien caché, se trouve le petit sac de coton rouge. Elle verse les graines de l'herbe-scorpion dans le bol.

« Tiens, dit-elle, en souriant.

— Je te trouve bien bizarre aujourd'hui, s'étonne Calmecahua en buvant le breuvage.

— C'est ton avertissement qui est bizarre. Pourquoi m'as-tu conseillé de rester chez moi ?

— Je te devine, répond Calmecahua, brusquement soupçonneux. Tu veux me faire parler, c'est cela ? Mais je me méfie de toi. Je ne te dirai rien. »

Puis un brouillard passe devant ses yeux.

« Je me sens mal.

— Viens marcher un peu dehors, l'air te fera du bien. »

Tous deux sortent de la maison. Calmecahua avance en titubant puis se penche en avant, courbé en deux par la douleur.

« Allonge-toi par terre », recommande Miahualt.

Le Tlaxaltèque se tord sur le sol. Miahualt déclare, d'un ton impitoyable :

« Tu as eu tort de te moquer du destin. Que le tien s'accomplisse et que ta traîtrise soit punie ! Que la pourriture recouvre ton visage et ton ventre ! »

Puis, de sa démarche altière, elle se dirige vers la lagune.

★

Les braseros fument, l'encens et les fleurs embaument, la musique réjouit les cœurs, lorsque Miahualt franchit la porte de l'Aigle. Le cher petit peuple, heureux, regarde danser dix mille dignitaires du peuple du Soleil. Il y a les grands prêtres vêtus à l'image des dieux : celui de la pluie, les joues tachetées de noir, coiffé de plumes de héron et de quetzal, un épi dans la main gauche, un masque dans la main droite. Celui de la guerre, la figure jaune zébrée d'une bande noire, portant sur le front une couronne de flèches, une flèche d'or dans le nez et un grand collier d'or. Celui du Serpent à plumes, le corps rayé de rouge, des grelots aux chevilles, un panache en plumes de quetzal, le front rehaussé de plumes de canard. Celui du dieu du Soleil, le visage ocre, les jambes bleues, son bâton de serpent turquoise dans la main droite, un bouclier décoré de neuf boules de duvet dans la main gauche. Il y a les guerriers-aigles couverts de plumes, les guerriers-jaguars couverts de peaux, et tous les vaillants guerriers harnachés de plumes, de bijoux, d'ornements de dos, sur leurs manteaux multicolores. Tous, joyeux de retrouver les rites de leurs dieux, exécutent la danse des mille et un détours.

Miahualt rejoint Uemac qui lui désigne Totomitl.

« Il est là-bas. C'est moi qui ai fait son panache de plumes.

— J'ai quelque chose d'inquiétant à te dire. »

Miahualt n'a pas le temps de parler car les quatre portes d'accès à la Maison des dieux tournent lourdement sur leurs gonds. À peine sont-elles refermées que les Espagnols surgissent avec leurs armures et leurs épées de métal. Ils frappent les têtes, transpercent les poitrines, ouvrent les ventres, tranchent les cous. La foule hurle de terreur. Pantli et ses compagnons gendarmes se précipitent au secours des guerriers. Il saisit un Espagnol à bras-le-corps et le jette violemment sur le sol dans un grand bruit de ferraille. Puis il en abat un deuxième, un troisième. Alors il entend une voix familière :

« Mon fils, je le savais, tu es bien un vaillant guerrier du peuple du Soleil. »

Pantli se retourne. Devant lui le Gardien-De-La-Maison-Noire lui sourit.

« Ne perdez pas courage ! Nous sommes mexicains ! » s'écrie Pantli, ivre de bonheur.

Le combat est trop inégal. Malgré leur courage les guerriers aztèques ne peuvent se défendre. Beaucoup tentent de s'enfuir.

Pantli retrouve Totomitl dans la mêlée.

« Il m'a souri ! crie-t-il.

— Je t'avais dit que tu vaincrais la malchance de ton signe. »

Tous deux se battent avec acharnement. Totomitl s'empare de l'épée d'un Espagnol et tente de percer les armures.

« Attention ! » lui crie Pantli.

Mais déjà Totomitl s'effondre, l'épaule transpercée par une lame. Pantli prend son ami dans ses bras et court à travers le tumulte et les cris. Uemac et Miahualt, qui n'ont pas quitté Totomitl des yeux, les rejoignent près du mur crénelé que la foule, terrifiée, escalade dans le plus grand désordre.

« Passons derrière le Jeu de pelote, il y aura moins de monde », conseille le plumassier.

De l'autre côté du mur, les Espagnols poursuivent les guerriers dans les maisons où ils se sont réfugiés. Uemac décide vite :

« Allons vers la colline de la Sauterelle. On soignera Totomitl au palais. »

Dans la pirogue, le guerrier gémit et perd beaucoup de sang. Les larmes ruissellent sur le visage de Miahualt. De Mexico parviennent les cris d'épouvante et de longs gémissements. Uemac regarde sans mot dire, sur les escaliers de la grande pyramide, les Espagnols renverser les prêtres, entrer dans le temple du dieu du Soleil et y mettre le feu.

Lorsque les quatre amis arrivent à la colline de la Sauterelle, Totomitl respire à peine. Allongé sur le rivage, il balbutie :

« Je n'ai pas pu faire de prisonnier. »

Puis son regard devient fixe. Pantli ferme ses paupières et murmure en souriant :

« Il connaît la douceur de la mort heureuse. »

Miahualt ouvre de grands yeux atterrés. Uemac court vers le palais. Sur sa bosse, l'oiseau-quetzal pousse des cris plaintifs.

Un peu plus tard, Uemac revient, portant un grand panier. Avec l'aide de Pantli, il ramène les genoux de Totomitl sur sa poitrine et entoure son corps de tissus brodés qu'il attache avec des liens. Puis il le décore de plumes, de papier et d'un masque de mosaïque et le dépose sur un grand feu préparé par Pantli. Miahualt chante.

Quand la Nuit s'achève, Uemac recueille soigneusement les cendres de Totomitl et les dépose dans une jarre avec un morceau de jade.

Aux premières lueurs de l'aube, à l'heure où les guerriers ressuscités s'envolent vers le Soleil, les trois amis lèvent les yeux vers le ciel. En clignant les paupières, ils aperçoivent Totomitl, vêtu de duvet blanc, qui se dirige vers l'est au-dessus des volcans. Bientôt les valeureux guerriers, parés de plumes et de leurs somptueux vêtements de guerre, l'entourent en poussant des cris de joie. Puis tous dansent et chantent en jouant du tambour ou de la flûte pour sortir le Soleil des ténèbres. Alors l'Aigle apparaît dans la maison rouge de l'aurore.

Épilogue

Cinq ans plus tard, en mélangeant les glyphes à l'alphabet que lui ont appris les Espagnols, Xochipil écrit sur une feuille de papier d'agave.

Uemac, mon ami précieux, mon véritable ami, j'ai rêvé cette nuit que tu naviguais sur la mer divine dans une barque dont la voile était en plumes multicolores. Tu étais à la recherche de notre seigneur Serpent à plumes. Comme mes rêves ne me trompent jamais et que les plumes sont faciles à acquérir car, pour les Espagnols, elles ne valent rien, je suis certaine que tu es vivant. Aussi je te donne des nouvelles des Mexicains.

Ils ont lutté vaillamment pour chasser les étrangers qui ont quitté Mexico pendant ce qu'ils appellent la « Nuit triste ». Mais ils sont revenus plus tard avec l'aide des Tlaxaltèques. Ils ont rasé tous les beaux temples, les belles pyramides et les beaux palais. Ils ont chassé le dernier empereur du peuple du Soleil. Beaucoup de larmes amères ont coulé des yeux des femmes chéries, des vénérables vieillards et des petits enfants bien-aimés. Beaucoup sont morts de fièvres inconnues.

La Huéhué est partie dans le vert paradis du dieu de la Pluie. Mes chers parents sont devenus esclaves et leur visage a été cruellement marqué au fer rouge. Pantli a combattu sans relâche jusqu'à la chute de Mexico. Puis il est parti vers le nord, au pays des plantes épineuses, à la recherche d'habitants encore libres.

Miahualt s'est fait baptiser et a épousé un grand guerrier espagnol. Elle habite une belle maison avec beaucoup de fleurs et chante dans leur église pour leur dieu Jésus-Christ. Chimali aussi est maintenant catholique. Il est un grand marchand qui fait de longs voyages vers le pays de l'empereur des chrétiens.

Totomitl est devenu colibri. Tous les matins, il vient à côté de moi voler parmi les fleurs. Je vis dans une petite maison près d'un monastère de prêtres franciscains. L'un d'eux s'intéresse à nos coutumes. Il me laisse faire des offrandes à notre seigneur Serpent à plumes à condition que je raconte l'histoire de notre peuple. Je l'écris avec beaucoup de joie et de larmes en même temps. Des larmes pour toutes ces belles choses détruites, et de la joie car la gloire de Mexico-Tenochtitlan ne disparaîtra jamais.

Mon ami précieux, Chimali te donnera cette lettre quand il te rencontrera sur la mer divine. Porte-toi bien.

XOCHIPIL.

ANNEXES

AGAVE :

L'agave est un cactus à hautes et épaisses feuilles vertes qui met cinq ans à atteindre la hauteur d'une femme. Lorsqu'il est mûr, on creuse à sa base un trou d'environ quarante centimètres. Le jus d'agave s'écoule alors pendant trois mois et fournit neuf cents litres.

Ce jus d'agave est un liquide blanchâtre que l'on donne aux enfants. Lorsqu'on le fait fermenter pendant trois ou quatre jours, ou plus, ce jus se transforme en sorte de « cidre » ou de « vin » qui peut atteindre 12° d'alcool. L'agave sert aussi à faire des tissus solides et peu coûteux, des cordes et même du papier.

CALENDRIER :

Le calendrier aztèque comprend un calendrier rituel de 260 jours et un calendrier solaire de 360 jours (18 mois de 20 jours), plus 5 jours.

Les jours du calendrier solaire ont un nom pris dans le calendrier rituel, sauf les 5 jours rajoutés à l'année de 360 jours, 5 jours qui sont de ce fait considérés comme néfastes.

Le calendrier rituel repose sur une combinaison :

- d'un chiffre entre 1 et 13,

• d'un signe selon les vingt suivants : crocodile, vent, maison, lézard, serpent, mort, chevreuil, lapin, eau, chien, singe, herbe morte (jaunie), roseau, jaguar, aigle, vautour, mouvement, couteau de silex, pluie, fleur. Les nombres et les signes se succèdent comme sur le tableau ci-contre.

L'année solaire est désignée par le nom de son premier jour dans l'année rituelle. Les combinaisons entre les 260 jours de l'année rituelle et les 360 jours de l'année solaire donnent 18 980 jours, c'est-à-dire 52 années solaires. Ces 52 ans forment un « cycle » après lequel les mêmes combinaisons se retrouvent. Entre deux cycles se situe « la ligature des années ».

1.	*Crocodile (cipactli)*	8	2	9	3	10	4	11	5	12	6	13	7
2.	Vent *(eecatl)*	9	3	10	4	11	5	12	6	13	7	1	8
3.	Maison *(calli)*	10	4	11	5	12	6	13	7	1	8	2	9
4.	Lézard *(cuetzpalin)*	11	5	12	6	13	7	1	8	2	9	3	10
5.	Serpent *(coalt)*	12	6	13	7	1	8	2	9	3	10	4	11
6.	Mort *(miquiztli)*	13	7	1	8	2	9	3	10	4	11	5	12
7.	Chevreuil *(mazatl)*	1	8	2	9	3	10	4	11	5	12	6	13
8.	Lapin *(tochtli)*	2	9	3	10	4	11	5	12	6	13	7	1
9.	Eau *(atl)*	3	10	4	11	5	12	6	13	7	1	8	2
10.	Chien *(itzcuintli)*	4	11	5	12	6	13	7	1	8	2	9	3
11.	Singe *(ozomalti)*	5	12	6	13	7	1	8	2	9	3	10	4
12.	Herbe morte *(malinalli)*	6	13	7	1	8	2	9	3	10	4	11	5
13.	Roseau *(acatl)*	7	1	8	2	9	3	10	4	11	5	12	6
1.	Jaguar *(ocelotl)*	8	2	9	3	10	4	11	5	12	6	13	7
2.	Aigle *(quauhtli)*	9	3	10	4	11	5	12	6	13	7	1	8
3.	Vautour *(cozcaquauhtli)*	10	4	11	5	12	6	13	7	1	8	2	9
4.	Mouvement *(ollin)*	11	5	12	6	13	7	1	8	2	9	3	10
5.	Couteau de silex *(tecpatl)*	12	6	13	7	1	8	2	9	3	10	4	11
6.	Pluie *(quiahuitl)*	13	7	1	8	2	9	3	10	4	11	5	12
7.	Fleur *(xochitl)*	1	8	2	9	3	10	4	11	5	12	6	13

Christian DUVERGER, *La Fleur létale,* Recherches anthropologiques (Le Seuil).

Mathématiquement, les années commencent toujours par un des quatre signes suivants : roseau, silex, maison, lapin, qui sont les porteurs d'année.

Afin de choisir un jour de naissance favorable, ou tout du moins le moins défavorable possible, au cas où celui de la naissance réelle ne plaisait pas, le prêtre du destin pouvait choisir dans les trois jours qui suivaient la naissance.

L'analyse du destin était assez complexe, car le signe du jour devait être mis en rapport avec le signe de la treizaine à laquelle le jour appartenait.

CONQUÊTE ESPAGNOLE :

• 1519 •

18 FÉVRIER : Cortès quitte Cuba avec onze navires et cinq cents soldats.

15 MARS : Les chefs mayas de Tabasco offrent à Cortès vingt femmes dont Malintzin, appelée Doña Marina après son baptême.

21 AVRIL : Cortès débarque sur la côte qui deviendra celle de Vera Cruz.

SEPT.-OCT. : Les habitants de Tlaxala s'allient aux Espagnols.

9 NOVEMBRE : Cortès entre à Mexico.

14 NOVEMBRE : Il fait prisonnier l'empereur Moctezuma.

• 1520 •

22 MAI : Pedro de Alvarado fait massacrer l'élite de l'armée aztèque pendant la fête du dieu du Soleil, Uitzilopochtli.

24 JUIN :	Cortès revient à Mexico.
27 JUIN :	Mort de Moctezuma.
30 JUIN :	Révolte des Mexicains qui chassent les Espagnols pendant la « Nuit triste ».
7 JUILLET :	Bataille d'Otumba où les Espagnols battent l'armée aztèque.
• 1521 •	
30-31 MAI :	Cortès assiège Mexico de tous côtés.
13 AOÛT :	Chute de Mexico.

DIEUX :

Il y a des dizaines de dieux chez les Aztèques. Chaque corporation a son dieu et il existe, dans la Maison des dieux, un temple pour tous les dieux étrangers, sorte de Panthéon comme dans la Rome antique. Chaque dieu a son temple et ses prêtres. Les quatre principaux dieux sont :

• Tlaloc, le dieu de la Pluie,

• Uitzilopochtli, le dieu du Soleil, éthymologiquement le Colibri de la gauche (ou le Colibri du Sud). Il a pour symbole l'aigle. C'est un dieu guerrier, qui a accompagné les Aztèques pendant toute leur longue migration, porté par les quatre « porteurs du dieu » et qui préside à leur destinée,

• Tezcatlipoca, étymologiquement Miroir fumant, est le dieu de la Guerre et tout particulièrement des guerriers et des esclaves. Il est le dieu du ciel nocturne, moucheté de taches claires comme la peau du jaguar. C'est le dieu de la Guerre qui a tendu un piège au Serpent à plumes à Tula.

• Quetzalcoatl, le Serpent à plumes, le serpent revêtu des plumes vertes du quetzal. Il fut le prêtre-roi de Tula.

Prêtre exemplaire par sa sagesse et sa piété. Roi souverain des Toltèques, les « artistes » qui inventèrent les arts pour embellir la vie. Il avait plusieurs maisons : de jade, d'or, de corail, de coquillage, et un palais de turquoise et de plumes précieuses. Il n'accepta jamais de sacrifices humains : il offrait son propre sang et celui des oiseaux. Le règne de Quetzalcoatl à Tula représente un âge d'or de la civilisation. Chassé de Tula par des sorciers guidés par Tezcatlipoca, le dieu de la Guerre, il s'enfuit vers la mer. Là, deux traditions racontent son départ :

1. Selon l'une, il dressa un bûcher au bord de l'océan, il y monta, et l'on vit sortir son cœur comme une flamme sous la forme d'une étoile lumineuse, l'étoile du matin et du soir, la planète Vénus.

2. Selon la deuxième, il partit sur un radeau fait de serpents et il disparut à l'est, vers le « pays rouge » de l'aurore.

Dans l'un et l'autre cas, il est devenu dieu. Il avait beaucoup de formes et d'attributs dont celui de dieu du Vent. Mais il est d'abord le dieu de la Vie civilisée.

MEXICO :

Mexico est construite à partir d'un îlot rocheux, dans le lac salé de Texcoco, à 2 200 mètres d'altitude. Au sud, les lacs de Xochimilco et de Chalco sont des lacs d'eau douce. Ces lacs étaient peu profonds.

Mexico était reliée à la terre par trois grandes chaussées, à deux mètres au-dessus des lacs : la chaussée nord, de Tepeyac, la chaussée ouest, de Tlacopan (rebaptisée Tacuba), et la chaussée sud qui se sépare en deux à la hauteur du lac Xochimilco, vers Ixtapalapan et Coyoacan. Ces chaussées étaient régulièrement entrecoupées par des ponts de cèdre, que l'on pouvait relever en cas de guerre (par exemple pendant la « Nuit triste »), sous lesquels coulait l'eau de la lagune.

Suite à la tempête du lac de Texcoco, qui inonda une partie de la ville, les Mexicains ont construit une digue, du nord au sud du lac, pour protéger leur ville.

La ville comprenait cinq districts : le lieu de l'éclosion des fleurs, la Maison des hérons, l'endroit des moustiques, le quartier du dieu et l'ancienne ville de Tlatelolco. Chaque district était divisé en quartiers, chacun avec son chef et son conseil des vieillards.

MONNAIE :

Il n'existe pas de monnaie chez les Mexicains. Mais certaines marchandises servent de monnaie d'échange :

- l'amande de cacao sert de petite monnaie,
- la pièce de tissu, aux dimensions calibrées, et surtout la « charge » de tissu, qui comprend vingt pièces de tissu,
- les petites haches de cuivre,
- des tuyaux de plumes, à longueur constante, remplis de poudre d'or.

TABLE

« Pour l'éditeur, le principe est d'utiliser des papiers composés de fibres naturelles, renouvelables, recyclables et fabriquées à partir de bois issus de forêts qui adoptent un système d'aménagement durable. En outre, l'éditeur attend de ses fournisseurs de papier qu'ils s'inscrivent dans une démarche de certification environnementale reconnue. »

Composition Jouve – 53100 Mayenne
N°300511v
Achevé d'imprimer en Espagne par LIBERDÚPLEX
Sant Llorenç d'Hortons (08791)

32.10.2520.8/03 - ISBN : 978-2-01-322520-5
Loi nº 49-956 du 16 juillet 1949 sur les publications destinées à la jeunesse
Dépôt légal: avril 2009